レイデ夫妻のなれそめ

君がもたらした新世界

Kuro Yamasaki
山咲黒

B's-LOG BUNKO
ビーズログ文庫

イラスト／アオイ冬子

目次 Contents

Beginning of Love

≪魔物解放団≫
マリアンヌ
≪執事≫
マーティン
≪リナレーアの兄≫
ヴァルター＝エンブリー
≪侍女≫
レベッカ
≪侍女≫
エイダ

《妻》
リナレーア＝レイデ
《夫》
ザイラス＝レイデ
登場人物紹介
Characters Introduction

0.

私が、自《みずか》らの冒険《ぼうけん》について語れるのはここまでである。

もう二度と……冒険家フェラン＝ギルドが筆をとることはないだろう。

しかしそれは、私が冒険をやめたということではない。冒険家として生まれた人間は、死ぬまでそれをやめることはできないからだ。

私が求めるのをやめることはない。

何度だって、望むものを得るために石の大地を踏《ふ》む。

それだけはまごうことなき事実である。

私の還《かえ》る場所はいつだって赤い歌声が響《ひび》くあの場所だ。

そしてようやく見つけた大切なものを得るために、私は今日もそこに立つだろう。


【『レック新聞六十号』より抜粋《ばっすい》】

『(前略)
心配をかけてごめんなさい。
でもどうしても確かめたいことがあるので、先に王宮へ戻ります。
無茶をするのはこれが最後よ。約束します。
愛しています。

リナレーア』

ザイラス＝レイデが王宮に着いた時には、休憩《きゅうけい》なしで馬を駆《か》っていたため髪《かみ》が乱れ、目つきは野生の獣《けもの》よりも鋭《するど》くなっていた。彼《かれ》は王宮の正面に乗ってきた馬を乗り捨てると大股《おおまた》で中を歩き、廊下《ろうか》で王の秘書官の一人を捕《つか》まえるとその胸《むな》ぐらを掴《つか》んで問《と》い詰《つ》めた。

「クソ王はどこだ!?」

驚《おどろ》いたのは秘書官の方だ。彼は相手がレイデ伯爵《はくしゃく》だと気付かずに「な、なんですか突《とつ》然《ぜん》！」と青ざめると大声で人を呼んだ。そしてやってきた騎士《きし》が彼を見て、「レイデ伯爵？ どうされました？」と言ったので別の意味で青ざめた。

しかしザイラスは平静さを取《と》り戻《もど》すことができなかった。

「クソ王は今どこにいる？」

今度はやってきた騎士の胸ぐらを摑み、王の居場所を問う。

「……伯爵、失礼ですが、クソ王というのは誰《だれ》のことでしょうか？」

「この国で一番偉《えら》い椅子《いす》にふんぞりかえってる野郎《やろう》のことだよ。どこにいる？」

「いったいどうされたのですか？」

騎士は困惑《こんわく》しているようだった。当然だろう。

穏《おだ》やかな紳士《しんし》で通っているはずのレイデ伯爵が、こんなふうに取り乱しているのだから。

（ああくそ。落ち着け俺《おれ》）

ザイラスは一度息を吸って吐《は》いた。そして騎士から手を離《はな》す。

「……火急《かきゅう》の用件がある。陛下《へいか》にお目通り願いたい」

彼は眉間《みけん》の皺《しわ》はそのままに、重い声で言い直した。

「……ただいま、陛下を呼んで参ります。どうぞ獅子《しし》の間でお待ちください」

獅子の間は、王との私的な謁見《えっけん》に使われる部屋だった。ザイラスは一度騎士を睨《にら》み、

「時間がないんだ。急いでくれ」と言って獅子の間へ向かった。

「くそ、どうなってやがるんだ」

大股で歩きながら、彼はなんとか状況《じょうきょう》を整理しようとした。

自分と妻が甘《あま》い休日《バカンス》を過ごすために渓谷《ケイティング》の街へ向かったのはほんの数日前のはずなのに、今現在その妻は書き置きを残して行方《ゆくえ》不明になっている。つまり、自らの意思で失踪《しっそう》したということだ。

（あの女、本当にタチが悪ぃ……！）

彼は心の中で毒づいた。

せめて一言エイダかレベッカに声をかければいいものを、夜中に、たった一人で街を出るなんて。

（あの無鉄砲《むてっぽう》さは、恐怖《きょうふ》を食われたせいだけじゃねぇだろ⁉）

とザイラスは思わずにはおれないのだった。

普通《ふつう》の女性なら、魔具《まぐ》によっておかしくなった男に追われ殺されかければ、しばらく一人で行動しようなどと思わないだろうに。

けれど残念ながら、ザイラスが愛した女は決して普通の女ではないのであった。

だからこそ、あの時頭に血が上った。河に落ちたリナレーアをなんとか助け出した時、その安否を案じた自分に応《こた》えず、ともに河に飛び込《とこ》んだ女のことを気にした彼女《かのじょ》に対して殺意を覚えたのだ。

ザイラスは立ち止まり、自らの手のひらを見て拳《こぶし》を握《にぎ》りしめた。

……いや。頭に血が上った、という表現は正しくない。

むしろあの瞬間《しゅんかん》、ザイラスはすぅと全身の血の気が引いていくような感覚を覚えた。

代わりにどす黒い何かがあっという間に四肢《しし》に広がり、彼の手は考えるよりも先に妻の首を摑んでいた。この手が聞いたどくどくという音は、愛する女の命の音だ。

もしリナレーアが抵抗《ていこう》を示していなかったら自分がどうしていたか、ザイラスにはわからなかった。

あのまま彼女を殺していただろうか。

最愛のあの女を？

それは自分で世界を終わらせるのと同義だ。それでもそちらの方が安らぎを得られる、ということはあるかもしれない。

少なくともリナレーアが存在しなければ、彼女がこうして自分の腕《うで》からすり抜《ぬ》けていってしまうたびに気が狂《くる》うような感覚に苛《さいな》まれることはなくなるのだ。

「だから逃《に》げたのか……？」

ザイラスはひとりごちた。

だから、リナレーアは行方をくらましたのか、と。

王宮へ戻るという書き置きは嘘《うそ》で、自分を殺しかけた夫から逃げ出したのだろうか。恐《おそ》れていたことが起きたのか。いつか、彼女は自分から逃げ出すと……。

「ああくそ。まさかそんな」

彼はたまらず頭を抱《かか》えてその場にしゃがみこんだ。

もしそうなら立ち直れない。二度と立ち上がれないだろう。世界はあまりにも残酷《ざんこく》だ。与《あた》えておいて奪《うば》うなんて。こんなことをするならいっそ、自分と彼女を出会わせなければよかったのに。

「こんなところで排泄《はいせつ》活動をするのは控《ひか》えてくれないかなザイラス」

背後からかけられたその声に振《ふ》り向《む》いたザイラスは、低い声で毒づいた。

「……排泄活動なんてしてねぇ」

そこに立っていたのは、彼の苦悩《くのう》の原因である妻の兄、ヴァルター＝エンブリーであった。

「今、獅子の間へ行くところだったんだ。君がヘンリックを呼んでいると聞いてね。何があったんだい？　今は休日中《バカンス》のはずだろう？」

リナレーアに外見だけはよく似たその男は、不思議そうな顔で首を傾《かし》げた。ザイラスは眉間に皺を寄せる。彼は気持ちを切《き》り替《か》えて立ち上がった。

「リナレーアは、王宮に来ていないのか？」

『**先に王宮へ戻ります。**』

あの書き置きにそうあったからこそ、ザイラスは屋敷《やしき》へも戻らずまっすぐここへやってきたのだ。それなのに、リナレーアがここにいない？

（いよいよ本当に逃げたのか？　いやしかし、冷静になってみろ。俺に殺されかけたからって黙って逃げる女か？　離婚したいと思ったなら、直接そう言うだろ。リィナなら）

「……」

ザイラスはこの時、妻が自分から逃げ出したという可能性をとりあえず排除することに決めた。もし本当に逃げられたのだとしたら、その対策は後で考えればいい。

妻が『魔物解放団』絡みで姿を消した場合の方が、格段に危険なのだ。

「リナレーアが？　少なくとも、私のところにそういった報告はないね。あの子が王宮にきたら、だいたい私の耳には入ってくるんだけど……」

「ヘンリックはどこだ」

「ヘンリックは国内視察に出ているよ。君の様子が変だから、騎士は僕に知らせてくれたんだ」

ザイラスは眉間の皺を深くした。

（どういうことだ？　あのクソ王が黒幕なんじゃねぇのか？）

あの男は、ザイラスの父が既《すで》に死んでいることを知っていながらそのことを黙っていた。

ザイラスが、行方不明の父こそ『魔物《まもの》解放団』の首領ではないかと疑っていたのに、だ。

もし自らが首領であるなら、魔物使いが勘違いしているのはさぞ好都合だっただろう。

以前マリアンヌが簡単に王宮に入り込めたのも、国王が首領であるなら造作もないことだ。ヘンリックが即位《そくい》したのが三年前、『魔物解放団』の動きが王都で活発になったのが二年前。時期的にも不具合はない。

そういった疑いを抱《いだ》いていたからこそ、リナレーアの『**確かめたいことがあるので、先に王宮へ戻ります。**』という手紙に対して、彼女もなんらかの理由で同じ疑惑を抱いてヘンリックに会いに行ったのではないかと、そう思ったのだ。

彼は前髪をぐしゃりと掴んだ。

（……いやそもそも、あのクソ王が、『魔物解放団』の首領ってタマか？）

まず目的がわからない。国王という立場にいる者にとって、王都で魔物に関する騒動《そうどう》が起こるのは害悪でしかないはずだ。それにヘンリックの行動だとするには、やることがいちいち遠回しなのだ。

マイルズに自分の顔を忘れるよう暗示をかけるくらいならひと思いに殺す。グレイス伯爵の独断専行が邪魔《じゃま》になったのならなぶり殺す。それがザイラスの知るヘンリック＝ゲーテ＝デーメルである。

以前半魔にリナレーアとディートリンデが攫《さら》われた時だって、あのヘンリックなら、颯《さっ》爽《そう》と自分が現れて助け出し、ディートリンデに恩を売るくらいのことはしたはずだ。

けれどそうしなかった。

「……よくわからないけれど、ちょっとどこか部屋に入ろう。君、騎士達《たち》に詰《つ》め寄《よ》ったらしいじゃないか。少し冷静になったらどうだい？」

「……ああ」

ヴァルターの言うことはもっともだった。

自分は今混乱している、とザイラスは認めざるを得なかった。昨晩から正常な判断ができなくなっている。一睡《いっすい》もしていないこともあるだろうが、妻を殺しかけたことも理由の一つに違いなかった。

頭を冷やすために一晩外で過ごし、屋敷に戻ったらもうリナレーアはいなかった。

リナレーアと共に河に落ちたマリアンヌ＝バレーラはまだ眠《ねむ》っているだろうか。

エイダとレベッカは、マリアンヌが目覚め次第渓谷《しだいケイティング》の街を出てこちらにやってくることになっていたが、もしかしたらあの女はもう目覚めないかもしれない。

マリアンヌ＝バレーラは、死を覚悟《かくご》していた。

いや、死を望んでいたと言ってもいいかもしれない。

不運な巡《めぐ》り合《あ》わせで夫を失った彼女は、ずっと喪失《そうしつ》の苦しみから逃《のが》れる方法を探していたのだ。しかしリナレーアがそれを許さなかった。

可愛《かわい》らしく残酷なリナレーア。彼女が誰かの死を許容することなど、きっと永遠にないだろう。生命に輝《かがや》きを見出《みいだ》すその才能こそが、彼女の本質だからだ。

ヴァルターに導かれて入った部屋の長椅子に、ザイラスは腰掛《こしか》けて息を吐く。

糸が切れたようだ。どっと疲《つか》れが襲《おそ》ってきている。けれどまだ眠るわけにはいかなかった。リナレーアが見つかっていないのだ。

「リナがどうしたんだい？　君達、渓谷の街《ケイティング》へいただろう？」

ヴァルターがザイラスの前の椅子に腰を下ろす。

「渓谷の街《ケイティング》から、先に一人でこっちへ帰ってきてるはずだったんだ」

「いつ？」

「昨晩……」

「昨晩？」

ヴァルターの眉間の皺が深くなる。

「どういうこと？　つまり君、夜に妹が一人で出て行くのを見てたってこと？」

「違《ちげ》えよ！　俺は知らなかった！　外で頭冷やしてて……」

リナレーアに合わせる顔がなかったのだ。ついさっき殺そうとした最愛の女性と、どう向き合えばいいかわからなかった。

その結果がこれだ。

ヴァルターは拳を握りしめてぎりりと奥歯《おくば》を噛《か》み締《し》めた。

（俺は何をやってんだ!!）

リナレーアのこととなると、すべてが後手に回ってしまう。こんなことは今までなかった。ここまで自分が馬鹿《ばか》に思えるなんて。

「……一度屋敷に戻る。あっちに帰ってるのかもしれねぇ」

ザイラスは重い脚《あし》を叱咤《しった》して立ち上がった。王都のレイデ家の屋敷には、マーティンがいるはずだ。

「いなかったらどうする？」

「他を捜《さが》す」

最悪なのは、王宮にたどり着けなかったという可能性だ。途中《とちゅう》の山道や街道《かいどう》で、もし別の騒動に巻《ま》き込《こ》まれていたら？

「私も捜すよ。協力した方がいいだろう」

部屋を出て行こうとしたザイラスの腕を、ヴァルターが引いて止めた。それをザイラスは睨む。

「放せ、シスコン野郎」

「残念だけど、今の君が無闇《むやみ》にうろつき回って役に立つとは思えない」

リナレーアと同じ色の瞳《ひとみ》に見据《みす》えられて、ザイラスは一度大きく息を吸った。そして目を瞑《つぶ》る。喉《のど》につっかえたような怒《いか》りと焦燥《しょうそう》と後悔《こうかい》が血流に染《し》み込《こ》み、全身の動きと思考

を鈍《にぶ》くしているかのようだ。

彼は意識して息を吐いた。

「……わかった。ヴァルター、協力を頼む」

ヴァルターはにっこりと微笑《ほほえ》んだ。

「君が私の名前を呼んでくれるのはいつぶりだろうね」

「街道でのリナレーアの目撃《もくげき》情報をさらってほしい。クソ王は、あんたにどれだけの権限を委譲《いじよう》していったんだ？」

この国に宰相《さいしよう》と名のつく地位はないが、もしあればヴァルターこそその地位にふさわしいと言えるだろう。

公的には王の秘書官として働いている彼は名実共に王の右腕であり、これまでにも何度か王の不在時の裁決権を担《にな》っていた。

「少なくとも、全兵士と一部の騎士団を動かす権利はあるよ。多少職権乱用になるが、仕方がない。使える力は使わないとね。動ける人間はすべて動かしてリナレーアを捜す。君はここで待ってて」

「いや、俺も捜す」

リナレーアの安否もわからない状態で、大人しく待っていられるはずがない。それに、山の中を捜索《そうさく》するなら兵士達よりもディンヴィリヴェーラの鼻の方が頼《たよ》りになるはずだ。

アインハウズの助けを借りてもいい。『精霊の眼《メイレ》』を持つ彼の見る精霊達なら、リナレーアの行方がわかるかもしれない。

「君もずいぶん疲れているようだよ。いいから、少しここで待っていなさい。兵士達の手配をしてくるから。いなくなった時のあの子の服装は？」

「たぶん乗馬着だ」

予定していた休日《バカンス》中二人で馬に乗って出かけるのもいいかもしれないと、持ってきていたのだ。

「後で事情を詳《くわ》しく聞かせてもらうよ」

ヴァルターはそう言うと、ザイラスを置いて部屋を出て行った。

ザイラスはもう一度息を吐いて椅子に座《すわ》る。

やはり、一度屋敷に戻らなければならない。

それから態勢を立て直す。泥《どろ》だらけの服も着替えて、気持ちを切り替えなければ。昨日から一度も着替えていないこの服は、河で泳いだ後上着を脱《ぬ》いだだけなので少し臭《にお》う。ヴァルターがそれを指摘《してき》しなかったのは、彼なりの優《やさ》しさなのかもしれなかった。

その時ザイラスはシャツの胸ポケットに何かが入っていることに気づいた。

取り出して広げる瞬間まで、彼はその紙片《しへん》のことをすっかり忘れていた。

一度濡《ぬ》れて乾《かわ》いたせいでよれよれになった紙の上には、兄から妹への文章が書かれている。昨日、ヴァルターからリナレーアのもとに届いた手紙である。

『アインハウズ先生にはもうお会いしたかな？　煙草《たばこ》の匂《にお》いはきついけれど、素敵《すてき》な方だっただろう？　ザイラスについていろいろと聞くといい。きっと私やヘンリックとは違う彼の顔を教えてくれるよ。ああただし、酒の飲ませすぎには要注意だ。

私へのお土産《みやげ》は赤ワインがいいな。

それでは、くれぐれも気をつけて、休日をたっぷり楽しんでおいでね。

ヴァルター』

渓谷《ケイテイング》の街の屋敷で最初にこれを読んだ時、ザイラスは一目で違和感《いわかん》を覚えたのだ。しかし妻と出かけていたはずのエイダが戻ってきたことで、思考は中断され懐《ふところ》に入れた手紙のことも忘れてしまった。

彼は今一度、その手紙を読んだ。

おかしいと思ったのは、アインハウズの煙草に関する記述である。

かつてザイラスらの教師であったトワニィ＝アインハウズは、一昨日再会した時こそ身体《からだ》から煙草の匂いをさせて愛煙家《あいえんか》であることを隠《かく》そうともしていなかったが、教師時代はそんなことはなかった。

少なくともザイラスはアインハウズが煙草を吸っているところを見たことがなかったし、むしろ彼は、煙草を敬遠してさえいたように思う。

だからザイラスと同じように退職以来アインハウズに会っていなかったはずのヴァルターが、『煙草の匂いはきついけれど』と記したことを不思議に思ったのだ。

ヴァルターは以前、ディートリンデとの食事の際にアインハウズのことを話題にしている。その時は、退職して田舎《いなか》に引っ込んだアインハウズと再会したなどと一言も言っていなかったのに。

（……どういうことだ？）

ザイラスの頭の中で警鐘《けいしょう》が鳴る。

これは違和感、で片付けてよい問題ではないのではないだろうか。

ヘンリックが『魔物解放団』の首領であると考えることで合う歯車と、生まれる違和感。

王宮に入り込む手引きをするのは、何も国王である必要はないのだ。

リナレーアを地下に攫《さら》った怪人《かいじん》は、なぜわざわざリナレーアに接触《せっしょく》した？

正体がばれる危険を冒《おか》してまで……。

（クソ、考えろ）

情報が引《ひ》き裂《さ》かれた紙片のように頭の中に散らばっている。いつもならそれらを集めてつなぎ合わせるのは造作もないことなのに、いかんせん今は万全《ばんぜん》の態勢ではなかった。

その時、ザイラスの目に手紙が書かれた日付が飛び込んでくる。

ヴァルターの名前の後に書かれたその日付は、一昨日だ。

つまり手紙は一日も経《た》たずにリナレーアのもとへ届けられたということになる。普通ならありえないことだ。

ケイティングのような山奥の街に郵便物が届くのは二週間に一度。郵便騎馬《きば》隊が出動するような火急の文書であれば話は別だが、この手紙にはどこにも郵便騎馬隊の印は押されていなかった。

「ザイラス」

彼ははっとして顔を上げた。

目の前には、いつの間にかヴァルターが立っている。戻ってきたことにも気づかなかった。ヴァルターは、義弟《ぎてい》が手に持っている手紙を一瞥《いちべつ》して微笑んだ。

「おや、その手紙がどうしてここにあるのかな?」

ザイラスは立ち上がる。引き裂かれた紙片が互《たが》いに吸い寄せられるようにして一つの結論を導き出す。

「渓谷《ケイティング》の街に郵便物が届くのは来週だったはずだけれど……。ああもしかして、私が手紙を頼んだ兵士が気を利《き》かせて渓谷《ケイティング》の街へ行く商隊の荷物に入れてくれたのかな」

手紙は、来週届くはずだった。

ヴァルターは続ける。

「別に、君がそれを持っていることを咎《とが》めるつもりはないよ。というかもともと、君が読むことを想定してそれを書いたからね」

その微笑みだけは、吐き気がするほどリナレーアに似ていた。けれど本質はまったく違う。ヴァルター＝エンブリーはもう、悪意を隠そうとはしていなかった。

なんということだ。

どうしてそんなことがありうる？

確かに何を考えているかわからない奴《やつ》だが、こいつはリナレーアの兄なのに。

「どうだろう、手札はもう十分集まったんじゃないかな？　君の推測通り、今回ヘンリックに視察に出るよう進言したのは私だ。王も魔物使いもいない間に、私にはやるべきことがあった。そしてそれはまだ終わっていない……。だからねザイラス、まだ君に動き回ってもらうわけにはいかないんだ」

そう言うと、ヴァルターは踵《きびす》を返《かえ》した。しかしすぐに足を止めて、「ああそうだ」とザイラスを振り向く。

「リナレーアのことは本当に捜しているよ。参ったよ。あの子だけは、いつも私の目論見《もくろみ》から外れてしまう。まったく面倒《めんどう》な子だ」

それは、いつものヴァルターからは考えられないような冷たい物言いだった。

「てめぇ……！」

かっとなったザイラスは彼に飛びかかろうとしたが、ヴァルターと入れ違いに入ってきた兵士達によって取《と》り押《お》さえられる。

「何しやがる！」

もはや伯爵として取《と》り繕《つくろ》うこともやめたザイラスは、数人の兵士によって腕を捻《ひね》り上げられ、膝《ひざ》をつかされた。

「レイデ卿《きょう》。あなたは不敬罪並びに造反罪、騒乱《そうらん》罪により投獄《とうごく》されます」

兵士の一人に告げられたその事実に、視界が真っ赤になった。

怒りに我を忘れる。

彼は腕を掴んでいた兵士を振り飛ばし、返す腕で目の前にいた兵士を殴《なぐ》った。力を振《ふ》り絞《しぼ》って立ち上がり、活路を見出そうとする。

しかし多勢に無勢であった。

次の瞬間首の後ろに衝撃《しょうげき》が走り、ザイラス＝レイデの意識は暗闇の中に落ちたのだった。

1.

森を抜《ぬ》け山の中腹に立つと、眼下に王の都が見えた。

それが目指すべき都であると証明するのは、中央に凜《りん》として立つ尖塔《せんとう》だ。王宮の一部であるその尖塔には大鐘《おおがね》があって、有事を知らせる時だけ鳴らされる。

かつてリナレーア＝レイデがその音を聞いたのは、ヘンリック王が即位《そくい》した際の一度だけであった。ソアリス岩で作られた外壁《がいへき》には長い年月をかけて細かな彫刻《ちょうこく》が施《ほどこ》され、それは未《いま》だ未完成だと聞く。

まさに芸術家の国と呼ばれるこの国ビレビスの象徴《しょうちょう》だ。

ようやくここまで帰り着いたのだと、リナレーアはひどく感慨深《かんがいぶか》い気持ちになった。

「ここまでで結構です。ありがとう。とても助かりました」

リナレーアは馬の手綱《たづな》を引いて背後の男達《たち》を振《ふ》り向《む》くと、にっこりと微笑《ほほえ》んで礼を言った。

「本当にここでいいんですかい？」

「どうかオイラ達も王都までご一緒《いっしょ》に……」

「バカ言うな！　オレ達みてぇなゴロつきがついてったらリナ様にご迷惑《めいわく》がかかるだろうが！」

「ううう。リナ様。どうかお元気で」

同じく馬上にありながら、男泣きに泣いているのは、正真正銘《しょうしんしょうめい》本物の山賊《さんぞく》達だ。いや、山賊であった者達、と言った方がいいだろう。

リナレーアもまた、彼《かれ》らのようなぼろの麻《あさ》の服を身につけている。艶《つや》やかであった赤茶色の髪《かみ》は艶《つや》を失い無造作に結《ゆ》い上《あ》げられ、絹のように滑《なめ》らかだった白い肌《はだ》は少し日に焼けていた。

（きっと、知らない人が見たらわたくしは山賊の女頭領のように見えるでしょうね）

リナレーアは胸を張ってそう思ったが、馬上でぴしりと背筋を伸《の》ばし穏《おだ》やかに微笑む彼《かの》女《じょ》は、山賊達を改心させた女宣教師にこそ見えど、女頭領にはとても見えなかった。

それに、宣教師というのもあながち間違《まちが》いではない。

百戦錬磨《ひやくせんれんま》の山賊達を『リナレーア教』に改心させたという点において、彼女は優秀《ゆうしゅう》な宣教師に違いなかった。

「皆《みな》さん。どうかわたくしとの約束を守って、これからは人を傷つけないお仕事を見つけてくださいね。お身体《からだ》には気をつけて」

「ううう。リナ様もどうぞお気をつけて」

「クソ旦那《だんな》に飽《あ》きたらいつでもオイラ達を呼んでくだせぇ！」

そもそもこんなことになったのには一言では語れない事情がある。

リナレーアが単身渓谷《ケイティング》の街を出て王都に向かったのは、四日前の夜だ。

山道に入ってすぐ、リナレーアはこれが簡単な道行《みちゆ》きでないことを理解した。深い森の中に月明かりは届かず、乗っている馬の尾《お》の先さえ見えない。持っているランタン一つではあまりに心もとなく、夜明けを待つべきだっただろうかとしばしば後悔《こうかい》した。

だが確か、この道は街道《かいどう》へと繋《つな》がる一本道だ。街道にさえ出ればどうとでもなるはず。

……夜明けを待たなかったことにだって、理由はあるのだ。

彼女はなんとかして、すべての黒幕と思われる『彼』と、二人きりで話をしたかった。

もちろん、リナレーアは今でも変わらず『彼』を信じている。もし本当に『彼』が黒幕であるならば、そうせざるをえなかった理由があるのだ。自分と二人きりならその理由を口にしてくれるかもしれない……。リナレーアはそんな希望を頼《たよ》りに、誰《だれ》にも告げず、単身、街を出たのだった。

しかし夜が深くになるにつれて、どうしようもない問題が彼女を襲《おそ》うこととなった。

眠気《ねむけ》である。

普段《ふだん》であれば、とっくに夢の中にいる時刻だ。その上一度疲《つか》れを自覚すると、全身に重りがついたかのような倦怠感《けんたいかん》がのしかかってきた。リナレーアはうつらうつらとして何度も落馬しそうになった。そして四度目に落馬しかけた時、彼女は仮眠《かみん》を取ることに決めた。

それが間違いであった。

手綱を引いて仮眠場所を探していたリナレーアは、うっかり転んでしまった。その拍子《ひょうし》にぶつかった馬が逃《に》げ出《だ》し、まず彼女は移動手段を失った。さらに森の中で迷子になって、山賊に襲われた。

それはまるで、憧《あこが》れの『冒険家《ぼうけんか》ルーベン＝ベネディクトの冒険記』に書かれていた出来事が一気に降りかかってきたかのようだった。

常日頃《つねひごろ》こういう事態を夢想していたリナレーアだからこそ、よく対処できたと言っていいだろう。

結果的にリナレーアは山賊達を手懐《てなず》け、当初の目的地である王都まで道案内をさせることができた。本来であれば半日しかかからない道行きに丸三日かかってしまったのは大誤算であったが、ともかくこうして無事王都を望むことできたのだからよしとしよう。

「それでは、皆さんごきげんよう。フィフィ、エムアール、アイズ、タリアス、ジャック、ローガン、ラウズ、ジムスターン、ルー。ここまで本当にありがとう。この馬《こ》は大切にします。きっとまた会いましょうね」

男達の名をすべて呼んでもう一度礼を言うと、リナレーアは今度こそ一人で道を下った。

その先はすぐ街道で、小さな町があるはず。

そこで早馬を手配しよう。先に自分が無事だということをザイラスに知らせなければ。

街道を駆《か》ければ、二時間ほどで王都へ着くだろう。

リナレーア＝レイデには、実に五日ぶりの王都であった。

結果的に、山の麓《ふもと》の町でリナレーアは自《みずか》らの捜索《そうさく》隊に遭遇《そうぐう》し、王都まで連れ帰ってもらうことになった。当初彼らは失踪人《しっそうにん》を王宮へ連れて行こうとしたが、彼女本人の希望によりレイデ家の屋敷《やしき》に送り届けることにした。

自分が正真正銘の行方《ゆくえ》不明者であるという自覚のあったリナレーアは、帰宅早々夫の怒《ど》号《ごう》を浴《あ》びることを覚悟《かくご》していたが、レイデ家の屋敷で夫人を出迎《でむか》えたのは、執事《しつじ》のマーティンと使用人のエイダだけであった。

「リナレーア様！　ああよかった、よくぞご無事で！」

マーティンが珍《めずら》しく顔を輝《かがや》かせ、エイダは無言で抱《だ》きついてきた。自分を抱きしめる女使用人の力の強さに彼らの心痛が察せられ、リナレーアはエイダを抱きしめ返して心から謝《あやま》った。

「心配かけてごめんなさい。エイダ、マーティン。ちょっとね、いろいろと予定外のことが起きたのよ。でも大丈夫《だいじょうぶ》。この通りわたくしは無事よ」

エイダはそっと身体を離《はな》すと、責めるように口元を引き結んで女主人を睨《にら》む。無口なこの娘《むすめ》の、涙《なみだ》が浮《う》かんだ瞳《ひとみ》は何よりも雄弁《ゆうべん》だ。リナレーアは苦笑《くしょう》してエイダの頭を撫《な》でた。

「本当にごめんなさいね」

「いったいこれまでどこで……。ああそれよりも、どうぞ中でお召《め》し替《か》えを。先に寝台《しんだい》で休まれますか？　食事もご用意できますが」

着替えもふかふかの寝台もベティアンナの食事も、すべて今のリナレーアにはとても魅力的《みりょくてき》であったが、何より先に彼女には聞いておかなければならないことがあった。

「ザイラスはどうしたの？」

早馬によって、リナレーア帰還《きかん》の報は、この屋敷には少し前にもたらされていたはずだ。妻が丸三日も行方不明になって夫が指をくわえて待っていたはずがないが、どこか遠くへ捜索に行ってしまったのだろうか。それなら早く無事を知らせなければ。

しかしエイダが暗く俯《うつむ》きマーティンが息を吐《は》いたので、彼女は何か異常事態が起きているのではと察することができた。

「まずは奥様《おくさま》……、少しお休みになられた方が」

マーティンが気遣《きづか》うように言ったが、リナレーアはもう一度聞いた。

「ザイラスに何かあったの？」

「旦那様は投獄《とうごく》されました」

答えたのは眉間《みけん》に深い皺《しわ》を寄せたエイダである。

その言葉の意味を、リナレーアはすぐに理解することができなかった。

（投獄、ですって？）

「まさか、ついにヘンリック様に手を上げてしまわれたの？」

いつかやるのではないかと思っていたのだ。夫が捕《つか》まるのなら不敬罪に違いないと彼女は疑っていなかった。

「わたくし、今すぐ王宮へ行って陛下《へいか》にお会いしてくるわ」

夫を許していただくようお願いしなければ。慌《あわ》てて踵《きびす》を返《かえ》して屋敷を出て行こうとしたリナレーアを、マーティンが止めた。

「お待ちください奥様。そのようなお召し物では王宮に入る前に止められてしまいます。どうぞ一度お部屋へ。事情をご説明いたします」

彼女は逡巡《しゅんじゅん》して自分の格好《かっこう》を見下ろした。

渓谷《ケイティング》の街を出る時に着ていた乗馬着は、あの山賊の男達にあげてしまった。売ればいくらか金の足しになるだろうと思ったからだ。一度犯罪者に身を落とした彼らが再出発するのに、金銭的な足がかりはどうしても必要だろう。

代わりにもらったのは、老いた一頭の馬と彼らの中で一番小柄《こがら》なフィフィが持っていたシャツとズボンである。一度川で洗ったと言っていたそれは落としきれない臭《にお》いを発していたが、リナレーアは特に嫌悪感《けんおかん》も覚えず身につけ山賊達を呆《あき》れさせた。

しかし執事の言うことももっともである。王宮の門番は、このような山賊まがいの格好の女が淑女《しゅくじょ》の鏡と評判のレイデ夫人だとは信じないかもしれない。

「わかりました。着替えます」

リナレーアは息を吐いて言った。

「食事はいらないわ。旦那様が投獄されているというなら、一刻も惜《お》しいもの」

その言葉通り、彼女は時間を無駄《むだ》にしなかった。エイダに手伝ってもらいながら身体を拭《ふ》いて着替えている間、彼女は衝立《ついたて》の向こうにマーティンを控《ひか》えさせてこれまでの経緯《けいい》を語らせた。

しかしそれは、にわかには信じがたい話であった。

「それなら、ザイラスはもう三日も牢《ろう》に入れられているというの？」

「リナレーア様！」

リナレーアはついに我慢《がまん》できなくなり、エイダがドレスの後ろの紐《ひも》を結んでいる最中に衝立から出た。しかし相手は女にも変じることができる魔物《まもの》マーティンである。

有能な執事は頬《ほお》に朱《しゅ》を一つさすことさえせずに目を伏《ふ》せて見ていないふりをした。

「はい。私が何回状況《じょうきょう》を確認《かくにん》いたしましても王宮からはなんの返答もなく、途方《とほう》に暮れておりました」

「造反罪に騒乱罪《そうらんざい》ですって……？」

エイダにぐいぐいと引っ張られ、再び衝立の奥に引《ひ》っ込《こ》んだリナレーアは眉宇《びう》を寄せて呟《つぶや》いた。

造反罪についてはありえない、と言い切ることはできない。

何せザイラスは普段からヘンリックを『クソ王』と呼び嫌悪を露《あら》わにしている。王座を狙《ねら》うことこそないだろうが、王個人に対してならその場の状況如何《いかん》で罵倒《ばとう》する、殴《なぐ》る、斬《き》りつける、くらいのことはやるかもしれない。それを造反だと捉《とら》えられる可能性はある。

「でも、騒乱罪というのはどういうこと？」

騒乱罪というのは普通《ふつう》、集団で公共の平和を乱すような行為《こうい》に対して科される罪のはずだ。あのザイラスが果たして、そのようなことをするだろうか？

「詳《くわ》しいことはわかりませんが、どうやらザイラス様が魔物使いであることが公《おおやけ》になったようです」

「なんですって？」

ドレスを着せ終えたエイダは、今度はリナレーアを椅子《いす》に座《すわ》らせて髪に香油《こうゆ》をつけ始めた。先ほどエイダが髪を洗ってくれている時、湯がすぐににごったのでそんなに汚れていたのかと驚《おどろ》いたものだ。

「でもそれがどうして騒乱罪になるの？」

「これまでの魔物絡《がら》みの事件との関与《かんよ》を疑われているようですね」

「でもそれは『魔物解放団』が……。どういうこと？　ヘンリック様は何をやっていらっしゃるの？」

ザイラスがこれまで、『魔物解放団』の騒動《そうどう》から何も知らない民《たみ》を守るためにどれだけ働いてきたか、ヘンリックはよく知っているはずだ。

王がいながら、魔物使いであるという罪でザイラスが捕《と》らえられるなんて。

「それが、国王陛下は王宮を留守にされているようなのです」

リナレーアは背後を振り向こうとして、櫛《くし》を持ったエイダに「奥様」と短く注意された。

「ヘンリック様がお留守に？」

「はい。そのようです」

マーティンは衝立の向こうから答える。

「国内視察だとかで、四日前からいらっしゃいません」

四日前というのはつまり、リナレーア達が王都を出た翌日だ。

瞬間的《しゅんかんてき》に、リナレーアの頭の中に様々な可能性が浮かんでは消えた。

彼女はやはり、一度王宮に行かなくてはならないと結論づけた。

「終わりました」

エイダの言葉を合図に立ち上がる。

三日間水浴びさえしなかった女主人を、エイダはよく磨《みが》き上《あ》げたと言えるだろう。赤茶色の髪には艶が戻《もど》り、泥《どろ》が入り込んでいた爪先《つめさき》は綺麗《きれい》に整えられている。ただ一つ、日に焼けた肌だけはどうしようもなかった。一応白粉《おしろい》もつけてあるが、以前のような白い肌、というわけにはいかない。

しかしリナレーアは満足した。

「ありがとう、エイダ」

そう礼を言って衝立を出る。

背筋を伸ばしずっとそこに立っていたマーティンは、いつもの格好に戻った女主人に微笑んだ。

「本当に、ご無事でよかった。奥様のお顔をご覧になれば、旦那様もお喜びでしょう」

「王宮へ行くわ、マーティン。馬車を用意してちょうだい」

しかしマーティンは微笑んだまま答えた。

「残念ですが奥様。そのご命令は承《うけたまわ》りかねます」

リナレーアは目を丸くした。

「まぁ。どうして？」

「旦那様のご命令です。『もしリナレーアを見つけたら、今度こそ、鎖《くさり》をつけてでも屋敷の中に閉《と》じ込《こ》めておくように。特に王宮には近づけるな』とのことでした」

執事のその言葉に、リナレーアはまずほっと安堵《あんど》して目を輝かせた。

「マーティン。あなた、ザイラスに会ったのね？」

先ほどの話では、ザイラスは渓谷《ケイティング》の街を出てから直接王宮に向かったはずだ。そしてそのまま投獄されたのだから、マーティンがザイラスの命令を受けるには獄中《ごくちゅう》の主人に会う必要がある。

「牢屋に忍《しの》び込《こ》んだの？」

「お答えいたしかねます、奥様。けれど旦那様がお元気でぴんぴんしておられることは私が保証いたします。ですからどうか、早まった行動は慎《つつし》まれますよう」

リナレーアはにっこりと笑った。

「王宮に、夫に会いに行くわ」

「いいえ、奥様。駄目《だめ》でございます」

「マーティン。わたくしは、馬でも人形でもないのよ。鎖をつけて閉じ込めておくなんて、できると思って？」

「奥様……」

マーティンは珍しく、困り果てたような顔になった。

「エイダから聞きました。旦那様が奥様に、何をしたか」

リナレーアはちらりと背後の女使用人を見た。エイダは無表情のまま目を伏せている。

ザイラスが自分の首を絞《し》めたあの場にエイダはいなかったはずだが、レベッカが話したのだろう。

「そういえば、エイダ。レベッカはどうしたの？　マリアンヌ様のご様子は？」

リナレーアは思い出して聞いた。

「奥様」

マーティンが少し声を鋭《するど》くして呼ぶ。

「思い出したくないことから目を逸《そ》らそうとされているのもわかりますが、どうか私の話をお聞きください」

その声が懇願《こんがん》するようにも聞こえたので、リナレーアは執事を見て困ったように笑った。

「わたくしは目を逸らしているわけではないわ。マーティン」

マーティンが瞬《まばた》きをする。リナレーアは息を吐いて、自らの首に手をやった。

『マリアンヌは無事だ。それが知りたかったんだろ？』

そう言いながら、妻の首を絞めたザイラス。

リナレーアにはすぐにわかった。彼が怯《おび》えているのだと。

「夫の手がここにあった時の感触《かんしょく》はまだ覚えています。でも知っているわ。わたくしが、彼を不安にさせてしまったの」

殺したかったわけではない。ただ繋ぎ止めたかったのだ。

「わたくしに鎖をつけたいのも、首を絞めたのも、彼がわたくしを愛しているからだわ」

失いたくないから。置いていってほしくないから。

そんなふうに怯えるザイラスはまるで子供だ。純粋《じゅんすい》で残酷《ざんこく》な子供。

リナレーアはあの瞬間少しだけ、夫の安息のためなら殺されてもいいかもしれないと思ったが、すぐにその考えを改めた。

そんなことで安息は得られない。死ぬことで得られるものなどないのだ。

「でもねマーティン」

リナレーアは微笑んだ。そして言う。

「それってとっっっっっても短絡《たんらく》的だわ」

きっぱりとしたレイデ夫人の言葉に、マーティンはぽかんと口を開けた。リナレーアは続ける。

「だってそうでしょう？　繋ぎ止めたいから鎖をつけて、殺して、なんになるの？　逃げないでくれと泣いて懇願する方がまだ建設的だわ。不安ならそう言うべきよ」

一度それらを口にすると、後から感情が追いついてくるようだった。この時リナレーアは、純粋な怒《いか》りを感じていた。

夫の不安はすべて、リナレーアへの不信感に起因している。

彼は妻を信じていないのだ。

『ずっと側にいるわ』というリナレーアの言葉を信じていない。夫婦《ふうふ》というのは信頼《しんらい》の上にこそなりたつ関係であるはずなのに。

「彼には悪いけれど、わたくしは恐怖《きょうふ》を食べられる前からこういう人間だったの。好奇心《こうきしん》旺盛《おうせい》で、一つの場所に止《とど》まってなんていられない。だから冒険家になりたかったし、山賊の真似事《まねごと》だって最高に楽しかったわ」

山賊の真似事？　とマーティンが聞き返したそうな顔をしたが、リナレーアは無視した。

「魔物が大好きだし、非日常にはいつだって憧れるわ。それに……」

それに。

喉《のど》がつまる。

この想《おも》いを、どう表せばいいだろう。どんなに怒りを覚えても薄《うす》れることはない。言葉なんかでは足りない。彼にとってリナレーアが無二だというのなら、自分にとってもそうなのだ。

「……誰よりも、ザイラスを愛してる」

たった一人の大切な人。

何度そう言えば、彼に届くだろう。

愛していると、ずっと側にいると、喉から血が出るほど繰《く》り返《かえ》せば彼はわかってくれるだろうか。

リナレーアは涙を我慢してマーティンを睨んだ。

「ザイラスは、それを知るべきよ」

だから、鎖をつける必要などないのだと。

マーティンはじっとリナレーアを見ていたが、ややあってため息と共に笑った。

「旦那様があなたを見つけることができたのは、奇跡《きせき》と呼ぶべきでしょうね」

「マーティン。わたくしにとっても奇跡なのよ。彼に出会えたのは」

レイデ家の執事は曲げた腕《うで》をみぞおちに当てて頭を下げた。そして言う。

「仰《おお》せに従います、奥様。どうかあの甘《あま》ったれた旦那様を、一度めったためたのぼっこぼこにして差し上げてください」

リナレーアは笑った。

「その時は、あなたの手を借りてもいいかしら？」

マーティンは顔を上げると悪戯《いたずら》っぽく目を細めて口《くち》の端《はし》を上げた。

「奥様のためでしたら喜んで」

リナレーアは、百人力の味方を手に入れたような気持ちになった。

「ありがとう、マーティン」

そう礼を言う。

「馬車の準備をしてまいります」

マーティンが踵を返して部屋を出て行くと、リナレーアはエイダと二人になった。彼女は使用人を振り向き、先ほどの質問をもう一度繰り返そうとしたが、エイダはその前に答えた。

「マリアンヌは二日前に目覚めましたが、まだ寝台から動ける状態ではありません。レベッカがついていています」

その言葉にリナレーアはほっとした。

命に別状はないが、目覚めるかどうかはわからないと聞いていたのだ。

リナレーアの目に、マリアンヌは死を覚悟しているように見えた。もし本当に彼女が死を望んでいたのなら、目覚めないこともありえただろう。

「ではまだ渓谷《ケイティング》の街にいるのね？」

「移動できる状態になり次第《しだい》、こちらへ向かう手はずになっています」

「マリアンヌ様は、どんなご様子だった？」

エイダは首を振った。

「私はマリアンヌが目覚める前にこちらへ戻りましたのでわかりません。マーティンがリナレーア様の捜索をしている間、屋敷の留守を預かる役目を命じられましたので」

リナレーアがいつ戻ってくるとも知れなかったから、留守居役が必要だったのだ。リナレーアは自分の失踪によって彼らがどれだけ心身ともに消耗《しょうもう》したかを考えると、申し訳なさで身が縮む思いだった。

ことが一段落したら、なんらかの形でお詫《わ》びをしなければと心に決める。

「グレイス伯爵《はくしゃく》は見つかった？」

「いいえ、まだです」

もしかしたら、伯爵は既《すで》に亡《な》くなっているのかもしれなかった。

あの時彼は、マリアンヌやリナレーアと共に河に落ちた。ザイラスとレベッカが助けることができたのは自分達だけで、伯爵にまで手を伸ばすことはできなかったのだという。

どちらにしろ、彼の自我《じが》は崩壊《ほうかい》しかけていた。

魔具《まぐ》を取り込んだ人間は虚《うつ》ろな半魔となってしまう。魔具によって私腹を肥《こ》やそうとしたグレイス伯爵の末路としてはふさわしいと言えるのかもしれないが、リナレーアは哀《あわ》れに思った。

ほどなくして、マーティンが部屋に戻ってきた。

リナレーアは馬車の準備ができたのかと思ったが、執事の表情に普通ではないものを感じ取って眉宇を寄せる。

「奥様……。ヴァルター様がお見えです」

どきりと、リナレーアの心臓が跳《は》ねた。

ヴァルター＝エンブリー。リナレーアの大切な兄。

その名を聞いて、こんなに不安な心地《ここち》になることなどこれまでなかった。

ヴァルターは、いつだってリナレーアの一番の味方だった。小さい頃はもちろん、ザイラスとの結婚《けっこん》が決まった時だって。

それなのにその来訪にこんな感情を抱《いだ》いてしまう自分を、裏切り者のように感じた。

マーティンが続ける。

「奥様。実はまだ一つだけ、申し上げていないことがございます」

リナレーアには、執事の言葉の続きが予想できた。

最初から、そうではないかと思っていたのだ。けれど違うと否定したかった。だからヘンリック王の思惑《おもわく》なのだと自分に言い聞かせた。


「旦那様を投獄したのは、ヴァルター様でございます」


リナレーアは目を伏せた。

『可愛《かわい》いリナ』

そう言って微笑むヴァルターの顔ならいつだって思い出せる。

いつだってリナレーアを気にかけてくれた優《やさ》しい兄。リナレーアは彼が怒《おこ》ったところなど、一度も見たことがなかった。

それはただ彼が優しいからなのだとばかり思っていたが、そうではなかったのだろうか。

自分はヴァルターのことを何も知らなかった？

実家の兄の部屋にいくつもある開けてはいけない箱のように、彼はずっと秘密を隠《かく》し持《も》っていたのだろうか。

リナレーアは一度大きく息を吸った。

（でも、逃げるわけにはいかないわ）

これは、自分が対峙《たいじ》しなければならないことだ。

兄の目を見て真実を問わなければ。

すべてを明らかにしてそして……、

（どうするの？）

その先に待ち受けているものがなんなのか、リナレーアには想像もできない。けれど立ち止まっているわけにもいかないのは確かなのだ。

「行きます」

リナレーアはまっすぐにマーティンを見て言った。

（わたくしは、リナレーア＝レイデ。レイデ伯爵夫人で、魔物使いの妻よ）

彼女はそう自分を奮い立たせたのだった。

「リナレーア！　無事でよかった！」

応接間に現れたリナレーアを見て椅子から立ち上がると、ヴァルターは駆《か》け寄《よ》りその身体を抱きしめた。

リナレーアは一瞬《いっしゅん》の逡巡の後、兄の背に腕を回して「心配をかけてごめんなさい」と応える。

「捜索隊から君をレイデ家に送り届けたと報告があった時は、安堵で椅子に座り込んでしまったよ。まったく、心配をかける子だ。今までどこで何をやっていたんだい？」

じっとこちらを見つめてくるヴァルターに何かを隠しているような雰囲気《ふんいき》はない。

リナレーアはにわかに、すべては自分の勘違《かんちが》いだったのではないかと思えてきた。

考えてみれば証拠《しょうこ》はないのだ。自分がたどり着いた結論は、推測に推測を重ねたにすぎない。

ヴァルターは妹の手を引いて椅子に座らせた。そして自分はその正面に腰掛《こしか》ける。

何かあった時のためにと、マーティンとエイダは部屋のすぐ外に控えているはずだ。リナレーアが声をあげればすぐに飛《と》び込《こ》んでくるだろう。

しかし目の前に座るヴァルター＝エンブリーは、彼女が知っている優しい兄のままだった。

顔の全体的な雰囲気は自分と同じ母親似で、目尻《めじり》が少し垂《た》れている。この兄だけは、幼いリナレーアがお転婆《てんば》をするのを強く止めたりしなかった。だから他の兄姉《きようだい》には言えない秘密も、ヴァルターにだけは話せたのだ。

「少し日に焼けた？　それに痩《や》せたみたいだ。体調は悪くないのかい？」

「ええ。王都に向かっている途中《とちゆう》で迷子になってしまって……、山賊の方達に助けていただいたの」

「山賊？」

ヴァルターは怪訝《けげん》そうに聞き返した。

「どういうこと？」

リナレーアは簡単に、この三日間に起きたことを説明した。ヴァルターは妹の言葉を遮《さえぎ》らずに耳を傾《かたむ》け、最後には額を右手で押《お》さえて息を吐いた。そしてその手の下からリナレーアを見て困ったように笑う。

「まったく、信じられない娘《こ》だな。私達《わたしたち》が君の無事がわからなくて奔走《ほんそう》している間、ちょっとした世直しをしていたというわけかい？」

「世直しだなんて……」

確かに、山賊を改心させたのは世直しと言えないこともないかもしれない。

「まぁとにかく、無事でよかったよ。君になにかあったら、ディートリンデ姉上に殺される。君のことをよく見ておくと約束したのに」

ヴァルターは気を取り直したようににっこり笑った。

「ザイラスも安心するだろう」

リナレーアはどきりとした。

「お兄様。ザイラスのことなのですけれど……」

「ああ。マーティンに聞いたかい？　帰ってきて早々、心配しただろうね。でも安心していいよ。彼は元気だ」

リナレーアは困惑《こんわく》した。

「夫は……投獄されたのですよね？」

ヴァルターは笑顔《えがお》のまま答える。

「そうだよ。でも大丈夫。遠からず、牢から出られるはずだ。彼はまっすぐ君のところへ戻ってくるよ」

「どういうことですか？」

リナレーアは眉を寄せた。

「ザイラスは、造反罪や騒乱罪で逮捕《たいほ》されたって聞きました」

「仕方がなかったんだ。……実は、王宮にいくつか訴《うった》えがきていてね。レイデ伯爵が、人ではない者を従えて怪《あや》しげな動きをしていると。今まではヘンリックがそういう訴えを一蹴《いっしゅう》してたんだけど、この間のピアットリー座での騒《さわ》ぎがまずかった。ザイラスが三つ頭のある獣《けもの》を従えているところを、数人の劇団員が目撃《もくげき》していたんだ。それにマーティンが床《ゆか》をぶち破った跡《あと》もはっきりと残されているしね」

「でも今さら……」

あの劇場での騒ぎは一月《ひとつき》以上も前のことだ。それが原因で、今になって投獄されるなんてどう考えてもおかしい。

ヴァルターはもう一度息を吐いた。

「君がいなくなったことで動転していたんだろう。三日前……彼は王宮に、あの三つ頭の獣を連れて乗り込んできたんだよ。騒ぎを鎮《しず》めるにはザイラスを捕らえるしかなかったんだ」

リナレーアは青ざめた。

「そんな」

では夫が投獄されたのは自分のせいだったのか。

「お兄様。ザイラスに会わせてください」

ヴァルターは眉間に皺を寄せて首を振った。

「残念だけど、それはできない。それどころか、君は王宮に近づかない方がいい。今王宮では、ここしばらく王都で起きた不審《ふしん》事件の犯人がすべてザイラスだったのではないかという意見が出てきている。貴族達は私達が考えるより馬鹿《ばか》ではなかったということだね……。ここ最近魔物絡みの事件が増えていることを、察している人間は意外に多かったんだ。魔物や魔物使いの仕事について、秘密にしていたのが仇《あだ》になってる」

「でもお兄様」

「今ヘンリックは視察に出ているんだけど、予定を早めて戻ってくることになっている。彼が戻れば、きっとザイラスも牢から出られるよ。だからリナはそれまでここで大人しく待っていて」

「ヘンリック様はご不在なのね……」

今リナレーアが下手に動けば、きっとザイラスやヴァルターの足手まといになるのだろう。彼女は唇《くちびる》を噛《か》んだ。

「彼は……どんな様子ですか？」

なんて無力なのだろう。こうして聞くことしかできないなんて。

「怒っているよ。君がいなくなったから」

ヴァルターがまた困ったように笑う。

「牢番《ろうばん》の人間が気の毒だ」

　そろそろ彼は後悔しているかもしれない。自分という女を妻にしたことを。けれどだからといって、簡単に離婚《りこん》してやる気はリナレーアにはないのだった。

「そろそろ戻るよ。ヘンリックがいないと、どうしても私にしわ寄せがくるんだ」

　兄を見送るために、リナレーアも椅子から立ち上がった。そして請《こ》うように言う。

「どうかザイラスにわたくしの無事を知らせてください」

「もちろん。すぐに知らせるよ」

　ヴァルターは微笑んで答えてくれた。

「……ありがとうございます、お兄様」

　リナレーアは拳《こぶし》を握《にぎ》りしめた。

　このまま、兄を王宮に戻らせていいのだろうか。彼を追及《ついきゅう》するために一人渓谷《ケイティング》の街を飛び出してきたのに。

「お兄様」

　ヴァルターが扉《とびら》に手を伸ばしたところで、リナレーアはようやく声を上げた。

「なんだい？」

　振り向いたその表情は穏やかで、リナレーアにはやはり兄が何か隠しているとは到底《とうてい》思えないのだった。

「あの、一つお聞きしたいのです」

取り戻した記憶《きおく》の中のヴァルターもまた、こうやって優しい顔をしてリナレーアの手を引いてくれていた。

そしてそうだ。その時も兄は、困ったように笑って言ったのだ。


『まったく、君は困った子だね』


「小さい頃……焼き菓子《がし》を持って、あるお宅を訪ねたのを覚えていらっしゃいますか？」

「焼き菓子？」

「ええ。わたくし、お兄様についてきてもらったはずなんです。どこかの別荘《べっそう》にいる時に町で具合の悪そうな女性をお助けして……」


『こんなところまで一人で来たのかい？　リナ』


リナレーアはこめかみに指を当てた。頭の一部がちかちかと明滅《めいめつ》している。断片的《だんぺんてき》な記憶がひっくり返される手札のように蘇《よみがえ》り、彼女は少し混乱した。

「さぁ。そんなことあったかな？」

『いいよ。私が一緒に行ってあげる』

焼き菓子の甘い香《かお》り。あの甘い香りは、しばらく手のひらから消えなかった。何度も何度も練習してやっと、綺麗な焼き菓子を作れるようになったのだ。それなのにあれ以降、リナレーアは厨房《ちゆうぼう》に入ることさえやめてしまった。

「うーん。ごめんねリナ。覚えていないみたいだ。それがどうかしたのかい？」

「……いいえ、お兄様。なんでもないの」

リナレーアは首を振った。

「リナ？」

明らかに普通ではない様子の妹を前にして、ヴァルターが気遣わしげにこちらに手を伸ばす。しかしリナレーアはそれを振《ふ》り払《はら》うように顔を上げて笑顔を作ると、「ザイラスをよろしくお願いします、お兄様」と言った。

「……ああ、もちろん。君はただ安心して待っていておいで」

ヴァルターは妹の心中を問いつめたりしなかった。

再度安心させるようにそう答えると、今度こそ応接間の扉を開けた。

「おや、マーティン。そこにいたのかい？　妹の無事も確認できたし私は帰るよ。主人の不在中に失礼したね」

扉の向こうに控えていたマーティンにそう声をかける。執事もまた礼儀正《れいぎただ》しく頭を下げた。

「それではね、リナレーア。ここでいいよ。君も疲れているだろうからね。ゆっくり休むんだよ」

「ええ、ありがとうお兄様」

屋敷を出て行く兄にその場で手を振って、リナレーアは息を吐いた。マーティンは女主人の代わりにヴァルターを見送りに行ったので、側にいるのはエイダだけだ。

そんなはずないだろうが、リナレーアには自分に向けられたエイダの視線が糾弾《きゅうだん》しているように感じた。どうしてもっと兄を追及しなかったのかと。

「ごめんなさい……少し一人で考えさせて」

リナレーアがそう言うと、エイダは無言のまま頭を下げてその場からいなくなった。彼女はもう一度息を吐いて、廊下《ろうか》の壁《かべ》に背を預ける。

ヴァルターを厳しく問い詰《つ》められなかった理由はわかっている。

ヴァルター＝エンブリーが、自分の大切な兄だからだ。

それに記憶だって断片的にしか戻っていない。あの病気の女性の家に行く前に兄とあんなやりとりをしたことは、さっきまで思い出さなかったのだ。

リナレーアにはもう、自分の記憶が信用できなかった。

魔物に食べられたこの頭が正常である証拠がどこにある？　あのヴァルターが、すべての黒幕だなんてありうるのだろうか。

（ザイラス、ザイラス、ザイラス）

呪文《じゅもん》のように夫の名を唱《とな》える。

『大丈夫だ。安心しろリィナ。俺《おれ》が側にいるから』

そう言ったくせに、夫は今王宮に捕らえられている。自分が原因であるというのに、リナレーアは心の中で彼を詰《なじ》った。

（……側にいるって言ったのに）

その時彼女の目に、夫の書斎《しょさい》の扉が飛び込んできた。

先ほどまでヴァルターと会っていた応接間の隣《となり》が、ザイラスの書斎なのだ。

その書斎には、リナレーアはこれまで数えるほどしか入ったことがない。基本的には夫の仕事場であるからだ。

リナレーアは惹《ひ》きよせられるようにして書斎の扉を開けて中に入った。

隣の応接間と同じくらいの広さの部屋の壁沿いに本棚《ほんだな》が並んでいる。机が一つと、二人掛け用と一人掛け用の椅子が一脚《きゃく》ずつ。奥の棚には酒瓶《びん》が数本きちんと置かれている。

壁には一振りの剣《けん》。

相変わらず、乱れたところのない部屋だ。

夫の、口調に似合わない几帳面《きちようめん》な人柄《ひとがら》が表れている。

リナレーアはゆっくりと室内を横切り、机の前の革張《かわば》りの椅子に座った。ここに腰掛けるのは初めてだ。整頓《せいとん》された机の上を撫でてから、そこに両手で頬杖《ほおづえ》をつく。

思えば、初めて夫の正体を明かされたのもこの書斎だった。

あの時ザイラスは、ヴァルターの胸《むな》ぐらを掴《つか》んで『うるせえシスコン！』と罵倒した。

リナレーアは、夫と兄の意外な仲のよさを知って嬉《うれ》しく思ったものだった。

（……ザイラスは、どうしてわたくしが魔物に記憶を食べられたことを知っていたのかしら）

リナレーアはふと疑問を抱いた。

『あんたは、悪食《あくじき》の魔物に夢を食われたんだ』

あれは、ピアットリー座で上演していた『リンデルの暗い森』になぞらえた言葉だと思っていたが、それはそのまま真実であった。リナレーアは、人さえも食べてしまう魔物に記憶を食べられたのだ。

（魔物同士の情報網《もう》があったとか？）

あるいは、ヴァルターが話したのかもしれない。

リナレーアははっとした。

そうだ、どうしてその可能性をもっと早く思いつかなかったのだろうか。

ザイラスとヴァルターが情報を共有している可能性は高い。何せ彼らは学生時代からの付き合いなのだ。二人は協力して、リナレーアの記憶を取り戻そうとしていたのかもしれない。

そしてリナレーアを混乱させないために、そのことを黙《だま》っていた。

「……そうだったらいいのに」

リナレーアは声に出してそう言った。

わかっている。自分は本当のことを知るのが怖《こわ》いのだ。だから都合のいい推測をしてしまう。

こうも気が重いのは、これまで心の奥底《おくそこ》に閉じ込めていた箱の蓋《ふた》が開いてしまったからに他ならなかった。

あの日の記憶と共に失っていた恐怖という感情が、徐々《じょじょ》に箱の中から這《は》い出《だ》している。

自分はこんなにも弱虫だったのか、と驚く気持ちさえあった。

真実を前にして怖気《おじけ》づくなんて。

でも果たして、兄は真実を答えてくれただろうか。

『うーん。ごめんねリナ。覚えていないみたいだ』

あの言葉は、嘘《うそ》にしか聞こえなかったというのに。

「……うー！」

リナレーアはもどかしい気持ちが抑《おさ》えきれずに、夫の机をどんどんと両手で叩《たた》いた。するとその拍子に立てかけられていた本が一冊倒《たお》れ、それが当たって机の隅《すみ》にあった手元用の燭台《しょくだい》が床に落ちてしまった。

「やだ」

リナレーアは慌てて立ち上がり燭台を拾ったが、二本あるはずの蠟燭《ろうそく》の一本が見当たらない。

仕方がなく四《よ》つん這《ば》いになり蠟燭を捜す。ほどなくそれは、机の下で見つかった。隙間《すきま》から転《ころ》がり込《こ》んだようだ。リナレーアは椅子をどかして机の下に潜《もぐ》り込《こ》み、蠟燭を拾った。

悲劇はその直後に起きた。

蠟燭を手にした彼女は、安堵して思わず机の下板に頭をぶつけてしまったのだ。

ガン！

という大きな音がして、リナレーアの脳裏《のうり》に火花が散った。

「……！」

無言のままぶつけた頭に手を当てて痛みに耐《た》える。ぶつけたところが膨《ふく》らんでいるのがわかった。幼い頃であれば、姉達が慌てて冷やすものを持ってきてくれるところだ。

しかし残念ながら、姉達は側にいないしエイダ達にも音が聞こえなかったようだった。

リナレーアはなんとか机の下から這い出し、涙目《なみだめ》になってぶつけた机の下板を睨む。

そこで彼女は、なんだかおかしなことに気づいた。

机の下板の一部がずれている。

どうやらリナレーアがぶつけたところが外れる構造になっていたらしい。

「……これって」

（つまり、隠し棚というものよね？）

リナレーア持ち前の好奇心がむくむくと頭をもたげてきた。後頭部の痛みを忘れて再び机の下に潜り込む。彼女は一瞬の躊躇《ちゅうちょ》の後、ずれた下板を外し、中に手を入れた。

どうやらそこは、机の引き出しのさらに奥の部分のようだ。手前はすぐ木の板で塞《ふさ》がれていて、奥に隙間が広がっている。

そちらに手を伸ばすと何かに触《ふ》れた。感触だけで推測するに、革のようだ。本のような厚みがある。

「よい、しょ」

果たしてリナレーア＝レイデが取り出したそれは、一冊の手帳であった。

2.

リナレーアは夫の隠《かく》し棚《だな》から見つけた手帳を持って書斎《しょさい》の長椅子《ながいす》に座《すわ》った。

その手帳は外装が濃《こ》い茶色の革《かわ》でできていて、中の紙は薄《うす》く少し波打っていた。例えるならそう、レック新聞社の編集長であるキリクが持っていた手帳に似ている。

もっとも、こちらの方がずっと高級には違《ちが》いない。革の擦《す》り切《き》れ具合で使い古されたものだと知れた。

リナレーアはこの時まだ、読むべきかどうか躊躇《ちゅうちょ》していた。

本当は、こういうものは勝手に読むべきではないはずだ。人には誰《だれ》だって秘密があるのだし、秘密というものは無闇《むやみ》に覗《のぞ》くものではない。やはり元《もと》に戻した方がいいのではないかと腰《こし》を上げかけた時、ふいに天啓《てんけい》のようにかつてのマーティンの言葉が蘇《よみがえ》った。

まだ心を通わせる前の、夫の行動についてである。

『奥様《おくさま》がいらっしゃらない間に奥様のお部屋に入り、奥様の本棚に収められているカバーをかけ替《か》えられた本を見つけ出したり、奥様の細かい様子を逐一《ちくいち》エイダに報告させたりしておいでです』

（そうね）

リナレーアは思い直して再び椅子に座った。

「ザイラスも同じようなことをしているのだもの。いいわよね」

そう声に出して言うと、自分は間違っていないような気がしてきたので彼女《かのじょ》は躊躇なく手帳を開いた。

一見してそれは、夫の字ではないように思えた。もっとずっと老練した筆致《ひっち》である。

内容はとても簡潔で、『トスラー夫人会食。ご令嬢婚約《れいじょうこんやく》。』『ガルダ砂漠《さばく》にて遺跡発掘《いせきはっくつ》。鑑定士派遣《かんていしはけん》。』『豪雨《ごうう》にてマーレイ河の一部氾濫《はんらん》。』等々、およそ日記とは言い難《がた》い無骨なものだった。

これが夫の手帳ではないとリナレーアが確信できたのは、そこに書かれた日付によってだ。

彼女には最初、簡潔に書かれた文章の前の落書きのようなものが日付だとはわからなかった。しかしよくよく見てみれば、それが数字なのだとわかる。数字は連続していなかった。

おそらく、本当に特筆すべきようなことがあった時だけ書き留める、備忘録《びぼうろく》のようなものなのだろう。

最初の日付は今から三十年前……つまり、ザイラスが生まれる前だ。

彼女はどこかに書き主《ぬし》の名前が書いていないかと手帳をぺらぺらとめくった。

(最初か最後に署名がないかしら……)

すると、ページの間から一枚の紙がひらりと落ちた。

床《ゆか》に落ちたそれを慌《あわ》てて拾う。四つ折りにされた紙片《しへん》を手帳の間に戻そうとして、リナレーアはぴたりと手を止めた。紙は年月を感じさせる黄ばみを帯びていた。薄い紙なので、インクが透《す》けて見える。

この時彼女は、何かに導かれるようにして四つ折りのそれを開いた。

紙には折り跡《あと》が強くついていて、中央には小さな穴さえ開いていた。

どうやらそれは手紙のようだ。

その皺《しわ》や擦り切れ具合から、何度も読まれたものなのだとわかる。

手帳の字とは違う、丁寧《ていねい》な男の字であった。


『──僕《ぼく》は親不孝な息子《むすこ》でした。

あなたの望み通りには生きられなかった。けれど後悔《こうかい》はしていません。

僕はロレインを食べました。

あなたが嫌悪《けんお》し憎悪《ぞうお》する魔物《まもの》の力でもって、愛する人を病《やまい》の苦しみから救ったのです。

もう思い残すことはない。

僕と彼女は永遠に結ばれた。あなたに僕達を引き裂くことはできない。

でもどうか、これだけは疑わないでください。

僕はあなたを愛していました。

心から。

ゲイル＝レイデ』

一瞬《いっしゅん》、すべての時が止まったかのように感じた。

リナレーアは、その名だけは覚えていたのだ。

ロレイン。

『母の名はロレイン。俺《おれ》と同じ髪《かみ》の色で、身体《からだ》の小さな人だった』

それは――ザイラスの母の名だ。

ザイラスを身ごもり、前のレイデ伯爵《はくしやく》……バルノート＝レイデ伯爵に王都から追い出され、病で亡《な》くなった哀《あわ》れな女性。

病で……亡くなったはずだ。ザイラスは、そう言っていた。いや、病であったとは言っていたけれど、病が原因で亡くなったとは言っていなかったかもしれない。

（どういうこと？）

『僕はロレインを食べました。』

食べた……何を？

混乱して手紙と手帳を落としたが、リナレーアにはもうそれを拾うことはできなかった。
全身の血の気が引き、内側から生まれた寒気と震《ふる》えが指先にまで広がる。

『あなたが嫌悪し憎悪する魔物の力でもって、愛する人を病の苦しみから救ったのです。』

魔物の力でもって。

ロレインを食べた。

男は、女を食べた。その血の一滴《てき》まで、まるで甘露《かんろ》であるかのように慈《いつく》しみを込《こ》めて。

かわいそうなロレイン。彼女は逃《に》げなかった。それは、彼女が望んでいたことだからだ。

愛する人にもたらされる死が。

でも、リナレーアは逃げてほしかった。

彼女に息子がいることを知っていたからだ。

乱暴な口調の下に優《やさ》しさを隠したロレインの息子。ロレインと同じ、灰色の髪の少年。

——ああ、そんなことがありうるのだろうか。

しかしそれならすべて説明がつく。

『あんたは、悪食《あくじき》の魔物に夢を食われたんだ』

(知っていたのね)

ザイラスはすべて知っていたのだ。

彼《かれ》はわかっていた。

自分の父の正体も、リナレーアに何が起きたのかも。

なぜ——自分の母が死ななくてはならなかったのかも。

あの時の少年こそが、ザイラスだった。

その時、既《すで》に蓋《ふた》が開いていたリナレーアの中の箱から獣《けもの》のように襲《おそ》いかかるものがあった。彼女はそれに突《つ》き動《うご》かされるようにして立ち上がり、書斎から出た。呼吸さえままならないまま玄関《げんかん》の扉《とびら》を開き、外に飛び出す。

リナレーアは一度転んだが、それでも駆《か》けるのをやめなかった。

涙《なみだ》が次から次へと出てくる。

視界が滲《にじ》み、前もよく見えなかった。

(わたくしのせいで)

『ロレインは……おふくろはその小さな身体からは考えられない元気な人で、くるくるとよく働いた』

（わたくしのせいで、あのひとは）

『皆《みな》、俺を置いていく』

（一人になったのだわ）

レイデ家の屋敷《やしき》の門を出たところで、リナレーアは再び転んでしまう。立ち上がろうとしたが、今度は脚《あし》が震えて力が入らなかった。そのあまりの不甲斐《ふがい》なさに怒《いか》りさえ湧《わ》き出《で》てくる。

ぼたぼたと地面に落ちる涙を見たくなくて、リナレーアは両手で顔を覆《おお》った。

もう、どうしていいかわからなかった。

恐怖《きょうふ》と罪悪感と怒りがないまぜになって坩堝《るつぼ》のようだ。

とにかく、レイデ家の屋敷にいられないことだけは確かだった。

こんな状態の自分を見れば、マーティンやエイダが放っておかないはず。けれど自分には彼らに気にかけてもらう資格などないのだ。彼らの主人から大切なものを奪《うば》ったのは彼女自身なのだから。

夫の母の死を――ただ、隠れて見ていたなんて。

最低だ。

レイデ家の屋敷の前は人通りの多い道ではなかった。けれどいつまでもここで泣いているわけにはいかない。リナレーアは震える脚を叱咤《しった》してなんとか立ち上がった。

どうにか止めた涙を拭《ふ》いて、顔を上げる。

（とにかく、落ち着くまでどこか別のところへ）

しかしこの王都において、リナレーアが心を落ち着けられる場所などそうなかった。

唯一《ゆいいつ》思いついたのは、レック新聞社のキリクのところだ。彼なら淑女《しゅくじょ》ではないリナレーアを知っているし、ちょうどいいかもしれない。

リナレーアはとりあえずレック新聞社を目指してふらふらと歩き出したが、前から馬車が来たので慌てて道の隅《すみ》に避《よ》けて俯《うつむ》いた。

帽子《ぼうし》だけでも持ってこなかったことを後悔する。レイデ夫人が土まみれの服と涙でぐしゃぐしゃの顔で歩いているところを見られたら、醜聞《しゅうぶん》もいいところである。

彼女は早く馬車が過ぎ去ってくれることを願ったが、最悪なことにそれはリナレーアの手前で失速して停まった。そしてあろうことか馬車の扉が開き、中から誰かが出てくる。

「リナレーア様!?」

夫の声ではなかったが、聞き覚えのある声であった。

おそるおそる顔を上げたリナレーアは、そこにいた人物を見て目を丸くした。

「まぁ……モーム様？」

それは、かつてリナレーアを攫《さら》って『魔物解放団』の夜会に連れて行った魔物憑《つ》き男《だん》爵《しゃく》——狼《おおかみ》男《おとこ》の、ルイマール＝モームであった。

人間の順応性には目を見張るものがある。

三日前には鼻をつまむほどだった黴臭《かびくさ》さが今はもう気にならない。低い天井《てんじょう》も、むき出しの冷たい土も、ザイラス＝レイデのこれまでの人生の中で比べると、そう悪くないものだと言えた。

雨をしのぐ屋根があるだけ重畳《ちょうじょう》である。もっとも、この窓もない牢《ろう》の中では三日の間に雨が降ったかどうか、彼に確かめる術《すべ》などないのであった。

その代わり、思考する時間だけは十分にあった。

だから今はもう理解している。

どうしてこういうことになったのかを。

ヴァルターの目的も見当がついていた。いやむしろ、もっと早くに思い至るべきだったのだ。リナレーアのことしか頭に入ってこなかったのが、敗因だ。

かちゃかちゃという食器がぶつかる音で食事の時間だと知れる。廊下《ろうか》の角から現れた牢《ろう》番《ばん》は、この三日間ずっと同じ男であった。

「昼飯だよ」

年輪と呼ぶべき皺は深く、腰は不憫《ふびん》なほど曲がっている。声はしゃがれていて、歩くのが牛ほどに遅《おそ》かった。もう齢《よわい》九十にも届こうかという老人である。片方の目が潰《つぶ》れているこの老人がなぜここで牢番をしているのか、ザイラスは知らなかった。

「今日は豆のスープとパンと魚だ」

老人は『今日は』と言ったが、昨日も同じ食事だった。魚は塩を軽くふって焼いただけで、料理とも言えない。この三日間、朝食はなく夕食は魚の代わりに鶏肉《とりにく》が出てくるだけだった。

「すまんね。この老いぼれに作れる食事ってのはそうないんだ」

「……いや、食べ物をもらえるだけ十分だ。ありがとう」

鉄格子《てつごうし》の下の地面が少し掘《ほ》られていてそこから食事の受《う》け渡《わた》しができるようになっていた。いつものようにそれを受け取ったザイラスは、地面に座り黙《だま》って食事を始める。

食べ物がもらえるだけ十分だというのは決して虚勢《きよせい》ではない。飢《う》える心配がないというだけで、思考は正常に回る。最悪の状況《じようきよう》ではないのだ。どんな時でも、食べるものがあるなら最悪の状況ではないのだ。

「じじい！　早く食事を持ってこい！　私が先だといつも言っているだろう！」

廊下の奥から怒声《どせい》が聞こえた。

ここに捕《と》らえられているのは、ザイラスだけではないのだ。

ザイラスがここに捕らえられた当初、奥の房《ぼう》の男は大声でザイラスに話しかけた。『あんたは何者だ？』『金ならある！　私をここから出してくれ！』男の正体に見当がついていたので無視していたら、男がザイラスに話しかけることはなくなった。

学習能力があって幸いだったというべきだろう。逃げられないこの密室において、あの耳障《みみざわ》りな大声で何度も話しかけられるのは苦痛だったからだ。

老人は息を吐《は》いてザイラスの前を通り過ぎ廊下の奥へ歩いて行った。

するとすぐにガチャ、ガチャン。と鍵《かぎ》を開ける音がする。

ザイラスは食事を続けながらも耳をすませた。

「おい、老いぼれ！　そっちじゃない！　そこはもう死んでるんだろう？　早くこっちへ来い！」

どうやら奥の男の房とザイラスの房の間にはもう一つ部屋があるようだった。

ほんの数分の時間を置いて、今度は鍵をかける音がする。その後老人は奥の男の房へ行ったらしく、男の毒づく声が聞こえた。

「ちっ。もったいぶるなよ！　ろくな食べ物でもないくせに」

「……」

「また魚か！　いい加減違う料理をよこせ！」

奥の男の怒鳴《どな》り声を尻目《しりめ》に、老人がこちらへ戻ってきた。

「隣《となり》に何がいるんだ？」

ザイラスは食べる手を止めて聞いた。

老人のこの行動は、毎回のことであった。

彼がこの地下へやってくる時に持ってくる食事はいつも二人分だ。つまりザイラスと、あの騒《さわ》がしい奥の房の男の分。老人が毎回出入りしているその間の部屋にいる者への食事はない。

隣の牢に何かあるのは間違いないだろう。しかし食事の必要がないということは、生き物ではないか、あるいは食事ができない状態の何者か、の二択《にたく》だ。

老人は眉《まゆ》を上げてザイラスを見た。

「前にも言ったじゃろう。あんたには関係のないことだ。それより自分の心配をせい」

廊下の奥から、男がぶつぶつ悪態をつくのが聞こえる。叫《さけ》ぶような大声でなければ、会話は聞こえないのだ。ザイラスは問うた。

「それなら聞くが、ヴァルターはいつまで俺をここに閉じ込《こ》めておくつもりだ？」

三日前、ヴァルターによって捕らえられここに連れてこられてからは尋問《じんもん》も拷問《ごうもん》もされていない。殺すつもりならもっと早くそうしているだろう。

（あのシスコン野郎《やろう》の目的は俺をここに閉じ込めておくことだってことだ）

『王も魔物使いもいない間に、私にはやるべきことがあった』

ヴァルターはそう言った。それが終われば、あの男はザイラスを解放するつもりなのだろうか。

「知らんよ。儂《わし》は命令されたことをするだけじゃ」

老人はため息混じりに答えると、その場から立ち去ろうとした。

「あんたの目」

しかしザイラスはさらに言葉を続けて老人の足を止める。

「魔物にやられたのか？」

「……」

老人はザイラスを振《ふ》り向《む》き、先ほどのように残った方の目を細めた。あらゆる悲劇《げき》も惨《さん》劇も見てきたような老人のその目は、しかし何も語らずに閉じられる。

「あんたもわかってるはずだ。ヴァルターは間違ってる」

ザイラスは続けた。

「魔物を研究しても救いなどない。魔物によって得た傷が、魔物によって癒《いや》されることはないんだ」

失ったものは戻らない。死んだ者が生き返らないのと同じだ。

「知っとるよ」

老人は答えた。そして緩慢《かんまん》に振り向き、ザイラスを見据《みす》える。

「……ヴァルター様もそれは知っておられる」

ザイラスが話しかけて、こうして老人が振り向くのは初めてのことだった。

狭《せま》く湿《しめ》った地下牢に、牢番の老人の声は水面の波紋《はもん》のように響《ひび》く。

「儂らも知っておった。……じゃが一度始めたことを、途中《とちゅう》でやめることはできなんだ。それまでの犠牲《ぎせい》が無駄《むだ》になるからの。……『魔物を人間に戻す』。そんな途方《とほう》もないことを、若い頃《ころ》は可能だと疑っていなかった」

ザイラスは眉を寄せた。

(魔物を、人間に戻すだと?)

「まさか……あんた、じじいが雇《やと》った研究者か?」

保守的で傲慢《ごうまん》なバルノート＝レイデ。

彼は魔物として生まれ落ちた息子を人間にするために、数人の研究者を雇った。それが現在の『魔物解放団』の前身だ。結局彼はその方法を見つける前に息子を失い、代わりに孫であるザイラスを見つけ出して伯爵家の後継《こうけい》に据えた。

老人が肯定《こうてい》の代わりに答える。

「蒙昧《もうまい》であることは罪だ。伯爵はご子息への愛のために、儂らは探究心のために、物事の道理を失った。結果がこれじゃ。他の仲間は皆死んだよ……。だがヴァルター様にはまだ救いがある」

ザイラスは立ち上がった。

鉄格子を掴《つか》み、老人に叫ぶ。

「ふざけんな！　救いがあるだと？　あのシスコン野郎もやろうとしてるこたぁ、クソじじいやあんたらと同じじゃねぇかよ！」

大切な何かのために、他者を犠牲にする。ヴァルターは迷わなかっただろう。

リナレーアを救うためなら。

「クソッ！」

憤《いきどお》りに任せて鉄格子を殴《なぐ》る。

その気になれば、ザイラスにはいくらでもこの牢を出る手段があった。何せ彼は魔物使いなのだ。剛腕《ごうわん》を持つマーティンにならこんな鉄格子は難なく開けられるだろうし、エイダの歌声をもってすれば牢番になど意味はない。

けれど一度この地下牢に忍び込んできたマーティンに救出を命じなかったのは、ザイラスが自《みずか》らの矛盾《むじゅん》を自覚していたからだった。

リナレーアを愛している。

一方で殺したいとも思う。

食われた記憶《きおく》と感情を取り戻させてやりたいとも思うし、今のままでもいいとも思う。

渓谷《ケイティング》の街から一人で出て行った妻の行方《ゆくえ》はまだわからない。魔物達が捜索《そうさく》しているが、見つからなくてもいいと思うことさえあった。

苦しいのだ。

彼女の側にいると。

これまでザイラスは迷いなく生きてきたのに、リナレーアの側にいると常に矛盾と葛藤《かっとう》に苛《さいな》まれる。

互《たが》いに仮面を被《かぶ》っていた頃の方が幸せだったかもしれない。

あの頃の方がまだ、彼女を失う可能性は低かった。結婚《けっこん》という契約《けいやく》で結ばれていたからだ。契約は、ほとんどの場合が守られる。

しかし今は違う。自分達《じぶんたち》の間にあるのは互いへの恋慕《れんぼ》だ。情と言ってもいい。愛しているから、側にいてくれる。けれど愛が失われたら？　あるいは、それよりも強い感情を他に見つけたら？

実際、リナレーアは鳥のようだ。

どこにでも羽ばたいていってしまう。

自分達の間にあるのが契約だけであった時はそうでなかったから、おそらくその羽を与《あた》えたのは自分なのだろう。

まるで喜劇だ。彼女が自分に恋《こい》をしていなかった頃の方が、幸せだったなんて。

ヴァルターと自分は明らかに違う。

一方の男はただただ女の幸福を願い、一方の男は女を縛《しば》り付《つ》ける方法を探している。

女にとってどちらが幸いかなんて知れている。自分は害悪なのだ——彼女にとって。

「……人は間違いを犯《おか》す。それは変えられんよ。大切なのは死ぬ時にどういう人生を語れるかだろう。ヴァルター様もあんたも、遅くはない」

「……」

ザイラスは鉄格子を殴った拳《こぶし》に額を押《お》し当《あ》てた。

（うるせぇ）

知った口をきく老人は嫌《きら》いだ。そう心の中で吐《は》き捨《す》てて何も答えずにいると、やがて老人はその場を去った。しかしザイラスはしばらくそのままでいた。

（——答えを）

見つけなければ、ここからは出られない。

彼は強く、そう思ったのだった。


鏡の中の自分はひどい有様《ありさま》だった。

目は赤く腫《は》れているし、頬《ほお》には擦《す》り傷《きず》ができている。髪を自分で結《ゆ》い直すことはできなかったので、リナレーアはリボンを手首に結んだ。借りた服は男爵の娘《むすめ》の趣味《しゅみ》か、落ち着いた深い茶色だ。スカートは引きずっているし胸も余っている。

(まるで逃げ出した病人だわ)

血の気の引いた自分の顔を見てそう思ったが、彼女は一度息を吐いて、なんとか切《き》り替《か》えようとした。

こういうのは、得意のはずだ。別人のように思考や気分を変える。

妄想《もうそう》ばかりしていた幼い頃に培《つちか》った才能であった。

そうして鏡を睨《にら》んでいると、控《ひか》えめに扉が叩《たた》かれた。

「その……いかがですかな？　リナレーア様」

リナレーアは慌てて駆《か》け寄《よ》って扉を開けた。

そこには室内着に着替えたモーム男爵が立っていて、リナレーアの様子を見て困ったような顔をした。

「いや、申し訳ない。娘はどうも明るい色が苦手なようで……」

しかしリナレーアはスカートをつまんで笑った。

「似合っていませんか？　わたくし、こういう大人の色味も着こなしてみたかったのですけれど」

するとモーム男爵は慌てた様子で両手と首を同時に振った。

「いやまさか、リナレーア様にはどんな服もお似合いですよ」

彼があまりに焦《あせ》った様子であったので、リナレーアはくすりと笑った。今度は演技ではない笑いである。

「あの、向こうの部屋にお茶と甘《あま》いお菓子《かし》の準備をいたしました。よろしければ少しお話をされませんか？」

モーム男爵は控えめに言った。

ごつごつとした巌《いわお》のような体格のこの優しげな壮年《そうねん》の男が、狼男に変化したところを見たことなど遠い昔のようだ。

男爵はかつて魔物である自分を制御《せいぎょ》できなくなったことに苦しみ、『魔物解放団』の誘《さそ》いに乗って田舎《いなか》から王都に出てきたのだ。彼が自らを制御できなくなったのは、妻の死と共にその愛を失ったからであった。しかし今の様子を見るとずいぶん落ち着いているようである。

それが彼の娘達のおかげであることは明らかだった。

「ええ、ありがとうモーム様。ご一緒《いっしょ》させていただきます」

リナレーアは礼を言って、男爵のエスコートを受けた。

先ほどレイデ家の屋敷の前に現れた男爵が、リナレーアには救いの主のように見えた。

彼女は「どうか馬車に乗せてください」と男爵に懇願《こんがん》し、彼はそれを受けてリナレーアを自分の家に連れ帰ったのだった。

以前モーム男爵は森の中にあるミュシュー湖のほとりの屋敷を所有していたが、それは手放したらしい。今度の彼の住まいは富裕層《ふゆうそう》の居住区画の中にあった。門もなく、隣の家と隣接《りんせつ》している。屋敷と呼べるほど大きくはなかったが、余分な部屋はいくつかあるようだった。

リナレーアは一階の応接間に案内された。

テーブルの上に用意されていた菓子が、以前二人で行った菓子店シュシュリアンのものだと一目で知ったリナレーアは、「まぁ」と顔をほころばせた。

「懐《なつ》かしいですわ」

「王都に来た際は必ず立ち寄るようにしているのです。どうぞリナレーア様」

男爵はリナレーアの椅子を引いて座らせてから、自分もその正面に腰掛《こしか》けた。

「少し狭い家ですがね、娘が王都に来た時だけ滞在《たいざい》する場所なのだからこれくらいでいいと言うものですから」

モーム男爵は少し恥《は》ずかしそうに言った。

「今回王都へはどんなご用事で？　お嬢様はご一緒ではありませんの？」

「娘婿《むすめむこ》が仕事で王都へ行くと言うものですから、ついてきたんです。娘達は商談に出ました。婿はなかなかやり手の商売人なのですよ」

リナレーアは紅茶を一口飲んだ。少し濃すぎたが、顔には出さなかった。

「今はお嬢様のご家族と一緒にお住まいですのね」

モーム男爵のその後について、リナレーアはそう聞いていた。

「子守《こもり》をさせられております。子供は無邪気《むじゃき》ですな。『おじいさま、わんちゃんに変身してください』とねだってきおるのですよ」

目尻を下げて答える男爵の表情を見て、リナレーアは胸を温かくした。今彼は幸せなのだろう。

「よかったわ」

モーム男爵はおもむろに目の前の菓子と紅茶を退けると、テーブルに両手をついて額を擦《こす》り付《つ》けんばかりに頭を下げた。

「その節は、本当に申し訳ございませんでした」

リナレーアは慌てた。

「やめてください、モーム様」

「リナレーア様にはご恩を仇《あだ》で返すようなとんでもないことを……。本当に申し訳ございません」

「本当に、顔をお上げになって。そんなことをしてはいけません」

リナレーアはもう一度言った。

「謝罪は既にお手紙でいただきました。兄の怪我《けが》もすぐ治りましたわ。あの時のことは水に流しましょう。ね？」

レイデ夫人の懇願するような声に、モーム男爵はようやくわずかに顔を上げた。

「先ほどリナレーア様にお会いした時は、直接謝罪を申し上げるために伯爵家へ向かっていたのです。私は爵位《しゃくい》を剝奪《はくだつ》されてもおかしくはなかった。それだけのことをしました」

「それだけ、あなたが苦しんでおられたということです」

狼男に変化する力を持つモームは、その力の制御に苦しみ『魔物解放団』に入ることを望んだ。そして団への参入儀礼《ぎれい》における供え物として、リナレーアを誘拐《ゆうかい》したのだ。

「糾弾《きゅうだん》されるべきは、『魔物解放団』の方ですわ。彼らはあなたを利用したの」

あの時マリアンヌ＝バレーラはモームのことを『実験動物』だと言い放った。リナレーアはそのことに怒りを覚えたが、マリアンヌには魔物を憎《にく》む理由があったのだ。

（糾弾されるべきは『魔物解放団』……。けれど本当にそうなの？）

『団の趣旨《しゅし》は魔に苦しめられる者を救うこと……』

マリアンヌの言葉を信じるのなら、責められるべきはグレイス伯爵のように私利私欲のために団や魔物を利用しようとした者達だけで、『魔物解放団』自体は高潔な理念を持っているように感じられる。

もし、本当にそうならば。

「モーム様」

リナレーアは両手を伸《の》ばして男爵の手を握《にぎ》った。

「一つ、伺《うかが》ってもよろしいですか？」

モームが瞬《まばた》きをする。この男爵の小さな目は、熊《くま》のようなその体格にはひどく不釣り合《ふつあ》いだった。

「『魔物解放団』の首領をご存知《ぞんじ》ですか？　誰が団を率いているのかを……」

リナレーアは、男爵のその小さな瞳《ひとみ》の中に動揺《どうよう》を見た気がした。

「リナレーア様」

「お願いです。何かご存知のことがあるならおっしゃって」

リナレーアは喉元《のどもと》まで「もしかしてヴァルター＝エンブリーが首領なのでは？」と言いかけたがかろうじて飲み込んだ。違ったらどうする。少しでも兄の名誉《めいよ》を傷つけたくない。

モームは自分の娘よりも若いレイデ夫人を、まっすぐに見返した。そして今度はしっかりと頭を上げる。彼はそっとリナレーアの手から逃《のが》れ、申し訳なさそうに言った。

「リナレーア様、私は結局入団も叶《かな》いませんでしたので……」

リナレーアははっとした。

男爵は参加儀礼の一つとしてリナレーアを攫ったのだから、まだ団員でさえなかったのだ。彼女は自分の浅はかさを恥じた。

「申し訳ございません。わたくし、失礼なことを」

モームは首を振った。

「失礼なことなど何もございません。事件の後、レイデ伯爵にも解放団について聞かれましたが、私が知っていることなど伯爵には既知《きち》のことであるようでした」

「そうですか」

ザイラス。

夫の顔を思い浮かべるのは、息をするくらい自然にできた。リナレーアは、今はできるだけ夫のことを考えないでいたかったが、『レイデ伯爵』の名を出されては思い出さずにはおれなかった。

自分はここで何をやっているのだろう。

夫が投獄《とうごく》されているというのに。

罪悪感に押しつぶされそうになっている暇《ひま》があるなら、今すぐ王宮へ彼を助けに行くべきではないのか？　よしんば助けることができなくても、会うくらいならできるはず。許されないなら忍《しの》び込《こ》んでもいい。

彼女は浮《う》かびかけた涙をぐっとこらえなくてはいけなかった。

会ってなんと言う？

あなたのお母様を見殺しにしてごめんなさい、と？　悪食の魔物は本当にあなたのお父様なのか、と？

すべてを知っていてどうして……自分を妻にしたのか、と？

そうだ。

どうして、自分の母親を見殺しにした女を愛することができるだろう。

憎むべきその相手を。

「リナレーア様」

名を呼ばれて、リナレーアは顔を上げた。しかし突如目眩《とつじょめまい》に襲われ椅子から落ちる。かろうじてテーブルを摑んで無様に転がることは避《さ》けられたが、床に紅茶のカップが落ちているのを見て今自分が落としたのだと気付いた。

「あ……ごめんなさい」

自分の声が不思議と歪《ゆが》んで聞こえた。平衡《へいこう》感覚が保てずに、溢《あふ》れた紅茶の上に座り込んでしまう。せっかく借りた服が汚れることを頭のどこかで心配したが、頭も身体も思うように動かせなかった。

「リナレーア様！」

モーム男爵が椅子から立ち上がって駆け寄ってくる。

「どうなさいました？」

彼は心から心配そうにリナレーアを覗き込んだ。すっかり血の気の引いた彼女の顔を見て、男爵の顔色が変わる。彼はリナレーアを支えたまま、どこかに向かって怒鳴った。

「何を入れたんです!?」

(モーム様、誰に向かって話しているの?)

この家には他に誰もいないのだと言っていたのに。だから彼自身がこの茶と菓子を準備してくれたのではないのか。

「命に別状はありません」

答えた声は、リナレーアの背後からだった。たぶん、扉のある方だ。誰かが隠れていた?　けれど彼女の耳にその声は、言葉の内容も判別できないほど歪んで聞こえた。

「いったいなぜ……二人きりで話したいのだとあなたは……」

まるでリナレーアを守るように男爵が抱《だ》き寄せてくれる。その温かさにリナレーアはほっとした。

そして抱きしめる腕《うで》が夫のそれでないことだけを、少し悲しく思ったのだった。

3.

リナレーアが無事見つかったという報告は、牢番《ろうばん》の老人からもたらされた。

それを聞いた時ザイラスは、安堵《あんど》のあまり大きく息を吐《は》いてその場に座《すわ》り込《こ》んだ。そしてそんな自分を嘲笑《ちょうしょう》する。

都合のいいことだ。見つからなくてもいいとさえ思っていたというのに。

自分がどうすべきか、まだ答えは出ていない。いやとうの昔に答えは出ているのだ。ただそれを認めたくなかっただけで。

しかしこの時のザイラスは、不思議とすんなりそれを認めることができた。

やはり鍵《かぎ》は彼女《かのじょ》なのだった。

彼女が生きているとそう確信できるだけで、幸福を感じられる自分も存在する。滑稽《こっけい》だが、それもまた間違《まちが》いのない事実なのだ。

彼《かれ》は冷たい石の壁《かべ》に背中を預け、ただじっと地面を見つめた。

どこからかチチッと小さな鳴き声が聞こえる。彼は緩慢《かんまん》に顔を上げ、鉄格子《てつごうし》の下の隙間《すきま》からこちらに入り込もうとしている鼠《ねずみ》を見つけた。

鉄格子の内側に入り込んだ鼠は、二本足で立ちチッチ、と警戒《けいかい》するように周囲を見回す。

ザイラスはわずかに笑った。そのきらきらとしたつぶらな瞳《ひとみ》が、好奇心旺盛《こうきしんおうせい》な妻を思い出させたからだ。

魔物《まもの》のパーティーをしようと言い出した彼女は、無垢《むく》で純粋《じゅんすい》で眩《まぶ》しいほどに輝《かがや》いていた。

初めて会った時と同じだ。リナレーアは変わらない。たとえ魔物に記憶《きおく》と感情の一部を食われても変わらないのは、それが彼女の強靭《きょうじん》ともいえる本質だからだ。

何物にも侵《おか》されない心の奥《おく》。

たとえザイラスであっても、そこに触《ふ》れることはできない。

彼は舌を鳴らして鼠を呼び寄せようとしたが、鼠はぴくりと耳を立てると再び鉄格子と地面の間に潜《もぐ》り込《こ》み、一目散《いちもくさん》にその場から逃《に》げ出《だ》してしまった。

ザイラスは残念に思って息を吐く。

「逃げちまったじゃねぇか」

「まさか鼠にまで名前をつけて奥様の代わりに可愛《かわい》がるつもりだったのではないでしょうね？」

鼠が逃げ出した原因であるレイデ家の執事《しつじ》は、女魔物の姿で鉄格子の向こうに立っていた。裾《すそ》の長いぴったりとした黒いドレスは女姿のマーティンの戦闘服《せんとうふく》だ。

風のように現れた彼……いや彼女は、冷ややかに鉄格子の向こうの主人を見下ろしていた。

「もう満足されましたか？」

「別に好きで囚人《しゅうじん》になってるわけじゃねぇ」

「嘘《うそ》おっしゃい。逃げたければ一言私達《わたしたち》にそうお命じになればよいではないですか。奥様に鎖《くさり》をつけておくくらいならね」

どうやらマーティンは怒《おこ》っているようだ。

彼とは長い付き合いであるが、珍《めずら》しいことである。

「何かあったのか？」

「奥様が失踪《しっそう》されました」

ザイラスは眉《まゆ》を上げる。

「なんだと？　ついさっき見つかったと聞いたばかりだぞ？」

「書斎《しょさい》にバルノート様の手帳と手紙が落ちていました」

女魔物の言葉に顔色を変えて立ち上がる。

「リナレーアが読んだのか？」

「おそらく。屋敷《やしき》の外まで奥様の足跡《あしあと》が確認《かくにん》できました」

つまり、逃げ出したということか。

「掴《つか》めていません。屋敷のすぐ外で足跡が消え馬車の轍《わだち》が残っていたので、通りかかった馬車に乗り込んだのだと思われます。争った形跡《けいせき》はありませんでした」

「ここから出るぞ」

彼は躊躇《ちゆうちよ》なく命じた。

マーティンは一歩足を出して鉄格子の前に立つと、両手で格子を掴む。傍目《はため》には彼女が力を入れたようには見えなかっただろう。鉄格子はギィ、という耳障《みみざわ》りな悲鳴を上げて粘《ねん》土《ど》のように簡単に歪《ゆが》んだ。

ザイラスはできた空間から外に出る。

マーティンは主人を先導して地下から出ようとしたが、ザイラスは「待て」と彼女を止めた。

まだここで確認しておかなければいけないことがあるのだ。ザイラスは隣《となり》の牢の前に行き、中を見て目を細める。主人を追って隣にやってきたマーティンも、嫌悪《けんお》に眉を寄せた。

そこに横たわるのは人間の男であった。

地面に直接敷《し》かれた一枚の麻布《あさぬの》の上にうつ伏《ぶ》せになっている。顔はこちらを向いていたが、目を瞑《つぶ》っていて気を失っているのか眠《ねむ》っているのかわからなかった。頰《ほお》はこけ、髭《ひげ》が生《は》えている。

「……行方《ゆくえ》は？」

上半身はむき出しで包帯が巻かれていた。うつ伏せに寝《ね》かされていることから、背中に怪我《けが》をしているのかもしれない。少なくとも清潔で健康な状態とは言えないだろう。あの門番の老人が毎日様子を見に来ていたのだから、最後の研究対象であるのかもしれなかった。

「おい！　あんた！」

その声は、隣の房《ぼう》からかけられた。あの騒《さわ》がしい男である。

鉄格子に顔をめり込ませるようにしてこちらを見ているその男は、上質だが汚れた服を着ていて髪《かみ》は乱れ髭も生えていた。

そちらを見たマーティンが眉を寄せる。

「……ロイダー卿《きょう》ではありませんか？」

男の顔が輝いた。

「そうだ！　そう、私だ！　私も出してくれ！　早く！」

グレイス伯爵《はくしゃく》と共に、ピアットリー座の地下の魔具《まぐ》市場に関わっていた男である。やはり、行方不明になっていたこの男を捕《と》らえていたのはヴァルターだったのだ。

「早く出してくれ！　金なら出す！」

しかしザイラスはそちらを見向きもしなかった。

「あの包帯の男を連れ出せ」

代わりに短く命じる。

「は？　私はどこにも包帯など巻いていないぞ」

ロイダー卿が間抜《まぬ》けな声を上げる。

ザイラスは踵《きびす》を返《かえ》した。背後でため息をついた女魔物がギィと鉄格子を開ける音がする。

「おい、どこへ行く！　私を置いていくな！　おい！」というロイダー卿の叫《さけ》び声《ごえ》はもう無視した。

彼は地上へと繋《つな》がる石の階段を上りながら思考した。

あの手紙を読んだならリナレーアは気づいただろう。

十二年前、彼女の頭の中を食った者の正体を。

悪食《あくじき》の魔物が誰《だれ》の父なのかを。

そのせいで彼女が逃げ出したのだとしたら、恐怖《きょうふ》を思い出したということだ。

十二年前のことをすべて。

リナレーアが記憶を食われたのだとわかってから、ザイラスは人間の脳について調べた。

もし本当に、あの男が彼女の脳の一部を食べたのならなんらかの身体的障害が残っているはずだ。しかしそれはない。ということは、失われたのは記憶の繋がりの部分だけである可能性が高かった。

その繋がりは、修復されうる。これは間違いなく生物の身体《からだ》の驚異的《きょういてき》な能力の一つであるが、失ったのが記憶であるなら取《と》り戻《もど》すことが可能なのだ。

そして感情も。

リナレーアは逃げ出した。

おそらく……ザイラスから。そして、魔物から。

それが普通《ふつう》の反応だ。幼いリナレーアは普通なら心が壊《こわ》れるような体験をした。目の前で、魔物が人を食うのを見たのだ。彼女は、他の誰よりも魔物を恐《おそ》れてもおかしくなかった。そうでなかったのは、ただ忘れていたからだ。

「どうされるのですか」

階段を上りながら視線だけで振《ふ》り向《む》くと、マーティンが男を肩《かた》に担《かつ》いでついてきていた。まるで羽毛《うもう》を担いでいるかのように顔色一つ変えていない。ザイラスはすぐ視線を前に戻して答える。

「リナレーアの無事を確かめる」

馬車、というのが気になった。

マーティンが争った形跡がなかったと断言するなら誘拐《ゆうかい》ではないのだろうが、屋敷から逃げ出した伯爵夫人を都合よく拾う馬車が現れたとも考えにくい。

あそこは、人通りがあまりない道なのだ。

階段を上りきると、石造りの小部屋に出た。地下牢はこの小部屋の床《ゆか》に作られていたようで、木でできた蓋《ふた》が無残に破壊《はかい》されている。これはマーティンの仕業《しわざ》だろう。

近くに机と椅子《いす》があって、椅子の横に牢番の老人が倒《たお》れていた。

「殺してないだろうな」

ザイラスは念のため確認した。

「もちろん」

女魔物のその答えで、彼はすぐ牢番に対する興味を失った。捕らえられた時に着ていたはずの上着がないか捜したが、見当たらない。処分されたのだろうか。

小部屋には扉《とびら》が一つあって、それもまた蝶番《ちょうつがい》がひしゃげて扉としての意味をなさなくなっていた。ザイラスは戸口を通って、薄暗《うすぐら》い廊下《ろうか》に出た。廊下は軽く弧《こ》を描《えが》いている。

「おわかりかと思いますが、ここは《嘆《なげ》きの塔《とう》》です」

マーティンの言葉にザイラスは沈黙《ちんもく》でもって答えた。もちろん、予想はついていた。

《嘆きの塔》。

王宮の奥にある忘れ去られた塔だ。数十年前、呪《のろ》いをかけられた王女がこの塔で一生を終えたという伝説が残っている。

一説では、その王女は魔物であったのではないかと言われていた。王の一族に生まれた異物を、人々は目に見えぬところに隠《かく》したのだ
そうやって魔物という存在は虐《しいた》げられ続けている。

はるか昔から人間は変わらない。

それでもなおこの心臓を止めることができないのは、汚濁《おだく》の中に輝くものがあるからだ。愚《おろ》かさの中に優《やさ》しさがあるから。憎悪《ぞうお》の中に慈愛《じあい》があるから。

自分がこの最低な人生の中で……彼女に出会ったように。

廊下の先に四角い光がある。

出口だ。

おそらくあの扉もマーティンが破壊してしまったのだろう。

ザイラスは苦笑《くしよう》する。マーティンにしては、随分《ずいぶん》と粗野《そや》な行動を取ったものだ。目の前に立ちふさがるものを破壊して進むなんて。

それだけ彼が、リナレーアの失踪に責任を感じているということだろう。

やがて彼らは光の中に出た。

「動くな！」

ザイラスは眩しさに目を細めた。生理的な頭痛がする。ずっと地下の暗さに慣れていた視覚が、突然《とつぜん》外の明るさにさらされて悲鳴を上げたのだ。しかし脳内が異常を訴《うった》えたのはほんのわずかな時間だけで、ザイラス＝レイデの身体はすぐ新たな環境《かんきよう》に順応した。

「これはこれは」

ズボンのポケットに手を入れて苦笑する。

彼の目の前に、剣《けん》の切っ先があった。

向けているのは五人の兵士だ。離《はな》れたところに、青ざめた女官《にょかん》が立っている。

おそらく、食事を届けにきた女官だろう。扉が壊されていることに異変を感じ、近くにいた兵士を呼んだのだ。ほどなく騎士《きし》が現れるかもしれない。王宮内の治安維持《いじ》は騎士の役割だからだ。

「何者だ！」

どうやら彼らはレイデ伯爵の顔を知らないようだ。ましてやこんなところから出てきた男を、貴族だとは思わないだろう。

「膝《ひざ》をつけ！　両手を後ろに！」

言い訳が通用するような状況《じょうきょう》ではない。ザイラス一人ならまだしも、彼の背後には、気を失った怪我人を抱《かか》えた女が控《ひか》えているのだ。

それに時間が惜《お》しかった。

「マーティン」

「しかし……」

「いいからやれ」

女魔物は一度息を吐くと、いささか乱暴に担いでいた男を下ろして跳躍《ちょうやく》した。

マーティンは、兵士らの背後に降り立つとまず目の前の一人の首を手刀で打って昏倒《こんとう》させた。振り向こうとした兵士の剣を摑み引っ張った勢いで腹を殴《なぐ》り、背後から振り下ろされた刃《やいば》を避《さ》けその回転を利用してこめかみを蹴《け》った。彼女は止まることなくもう一人の兵士を奪《うば》った剣の柄《つか》で殴ったが、「うわあああ！」と声を上げて逃げ出した最後の兵士を走って追おうとはしなかった。

剣を投げ捨て、代わりに石を拾って投げようとした女魔物をザイラスが止める。

「待て、いい」

最初の兵士がやられた瞬間《しゅんかん》に、女官は逃げ出していた。とかく女性というものはこういう時に思い切りがいいものである。

「構うな。今はリナの無事を確かめるのが先だ」

ザイラスが言うと、マーティンは「かしこまりました」と答えて石を捨てた。

マーティンが再び男を担ぐのを待たずにザイラスは歩き出す。

ほどなく、追手《おって》がかかるだろう。

捕らえられたのがヴァルターによるでっちあげだったとしても、こうして正式な裁きを受けずに逃げ出せばただの脱獄囚《だつごくしゅう》だ。

「マーティン、笛を」

（だからなんだ）

もはや、彼にはどうでもいいことだった。

やるべきことは既《すで》に決まっていたのだ。

リナレーアは夢を見ていた。

夢だとわかったのは、自分の意思で身体を動かせなかったからだ。それに視界がとても低い。幼い頃《ころ》の夢なのだ、と彼女は思った。

エンブリー公爵《こうしやく》は領地内にいくつかの別荘《べっそう》を持っていて、それはその一つであった。

リナレーアがそこを訪《おとず》れるのは二度目だったが、一度目は物心つく前のことなので覚えていない。だから彼女にとってみれば初めても同然だった。

(海沿いの町だったのだわ)

視界の右手には海が広がっている。

港には数隻《すうせき》の船が停泊《ていはく》していて、大きな荷物がたくさん積まれていた。

幼いリナレーアが一人で町に出たのは、別荘の窓から町中に人だかりを見つけたからだ。港とは少し離れた広場の中心である。

窓から身を乗り出して見てみると、人だかりは芸人を囲んでいるようだった。棒や玉を持って超人的《ちょうじんてき》な芸をする者達である。幼いリナレーアは、芸人達が移動してしまう前にと町へ飛び出した。

しかし別荘から見た時はすぐ近くに見えた広場には、なかなかたどり着かなかった。彼女は自分が迷子になったことを知って、一人で飛び出したことを後悔《こうかい》した。せめて六つ年上の兄であるヴァルターに声をかければよかった。ヴァルターならきっと、リナレーアにつきあってくれたに違いないのに。

不安で溢《あふ》れそうになった涙《なみだ》を隠すために路地に入ったリナレーアは、そこでしゃがみこんでいる女性を見つけた。

女性は真っ青な顔で短く呼吸を繰《く》り返《かえ》している。リナレーアはすぐに自分の不安を忘れて女性に話しかけた。


『どうかされましたか？』


それが、彼女……ロレインとの出会いである。

リナレーアはロレインを家まで送った。そしてそこへ、彼女の息子《むすこ》だという少年が帰ってきたのだ。

十一歳《さい》の彼は、幼く可愛らしかった。

彼ら母子の関係は、幼いリナレーアの目にとても新鮮《しんせん》に映った。乱暴な物言いをしていても互《たが》いを大切に思っていることは伝わってきたし、支え合い信頼《しんらい》し合っているように見えた。

リナレーアは再び訪れることを約束し、やってきた医師が連れていた小間使いに道案内をしてもらって屋敷へ戻った。

当然ながら末娘《すえむすめ》がいなくなったことで屋敷の中は大騒《おおさわ》ぎになっていて、リナレーアは父に外出禁止を言《い》い渡《わた》された。妹に甘《あま》い兄姉《きょうだい》達も、この時ばかりは父の処罰《しょばつ》に反論したりはしなかったのだから、それだけ心配をかけたということだろう。

そしてその間、彼女は侍女《じじょ》達に焼き菓子《がし》の作り方を教わった。

何度も練習し、たくさんの失敗作を兄姉達や時には両親にも食べさせた。そしてようやく綺麗《きれい》な焼き菓子を作れるようになった頃、父が外出禁止を解《と》いてくれたのだ。

リナレーアは前回の教訓を生かし、兄を誘《さそ》った。

ヴァルターをだ。

彼は、リナレーアが作った焼き菓子を見て笑った。

『ずいぶんと綺麗に焼けるようになったね。いいよ。私が一緒《いっしょ》に行ってあげる。真っ黒な失敗作を山ほど食べさせられる苦行に比べたら、鉄砲玉《てっぽうだま》みたいな君を連れて町へ行くことなんてなんでもないからね』

そして、数日ぶりに町へ出たのだ。

リナレーアは道を覚えていた。もう一度行くつもりだったから、頑張《がんば》って覚えたのだ。

『こんなところまで一人で来たのかい？　リナ』

ヴァルターは驚《おどろ》いていた。

『まったく、君は困った子だね』

なんとか目的の家にたどり着いた時、リナレーアはほっとした。あの時の少年はいるだろうかと思いながら扉を叩《たた》く。

何度か叩いても返事がなかったが、鍵がかかっていなかったのでそっと扉を開けた。その家は、入ってすぐのところが台所になっていた。無人ではない、とそう思ったのは、奥の寝室《しんしつ》から小さな話し声が聞こえたからだ。

『駄目《だめ》だよリナレーア』

勝手に家の中に入った妹をヴァルターは止めようとしたが、彼女は早く完成した焼き菓子をロレインに食べてもらいたかった。だから何も考えずに、寝室の中を覗《のぞ》き込《こ》んだのだ。

部屋に窓はなく、薄暗かった。けれどまだ昼間で台所は十分に明るかったので、まったく視界がきかないというわけではなかった。

『ロレイン、泣かないで』

『助けて、ゲイル。怖《こわ》いの……』

幼い少女の目から見ても、彼らは想《おも》い合う恋人《こいびと》同士であった。いや、息子がいるのだから夫婦《ふうふ》だろう。抱《だ》きしめ合う二人を見て、リナレーアは顔を赤くした。

これは出直すべきかもしれない。ロレインには夫がいたのだ。先日の母子の様子から、二人だけの家族だと勘違《かんちが》いしていた。

『大丈夫《だいじょうぶ》。僕《ぼく》が食べてあげる。君も、君の不安も悲しみも全部』

リナレーアは寝室の扉を閉めようとした手を、ぴたりと止めた。

（食べる？）

ロレインを？　何かの比喩《ひゆ》か俗語《ぞくご》だろうか。リナレーアは最後にもう一度中の様子を窺《うかが》った。

この時、自分は子供らしい無遠慮《ぶえんりょ》さでもって中の二人に声をかけるべきだった。

夢を見ているリナレーアは思った。そうすれば、この後の悲劇を避けられたはずだ。

ロレインは無事で、自分も頭の中を食べられることはなく、ザイラスは愛する母を突然失ったりしなかった。

男は最初にロレインの額に口付けをした。するとロレインは、糸の切れた人形のように意識を失った。唯一《ゆいいつ》の救いはその時のロレインが安らかな顔をしていたことだ。愛する者の腕《うで》の中で、彼女は心から安堵していた。

そして、男はうやうやしく彼女の手を取り愛《いと》しげに何度も撫《な》でると、ぱくりと、まず指先を食べた。

幼いリナレーアには何が起きているのかよくわからなかった。だからいつの間にか背後まで来ていたヴァルターに口を塞《ふさ》がれた時も、彼女は自分が悲鳴を上げようとしていたことに気づかなかった。

男が女をすべて食べ終わってこちらにやってくるまで、リナレーアとヴァルターは動けなかった。足がすくんでいたのだ。それに動いて、この家の古い床板が音を立てないとも限らなかった。

一目散に逃げ出せば男は追ってこなかっただろう。

けれどその場に背を向けることとさえ、怖かったのだ。

『ごめんね。誰かがいることには気づいていたんだけど、途中《とちゅう》ではやめられなくて……』

男は申し訳なさそうに言った。

瞳は漆黒《しっこく》に染まっている。絶望を覗き込んだかのような深淵《しんえん》。血の跡さえないその口が、たった今女を食べて先ほどまで愛を囁《ささや》いていたなどと、信じられなかった。

『君、大丈夫?』

男は呆然《ぼうぜん》としているリナレーアに手を伸《の》ばした。その手を、ヴァルターが振《ふ》り払《はら》う。

『妹に触《さわ》るな!』

彼女は恐怖で震《ふる》える兄を初めて見たが、声を出すことさえできなかった。まるで自分の身体ではないようだ。何も思い通りにできない。呼吸さえ乱れている。

『リナ、逃げるんだ！』

ヴァルターがリナレーアを引っ張って逃げようとしたが、リナレーアは腕を引かれるまま床に転がった。

『リナ！』

慌《あわ》てた兄に助け起こされる。

『逃げるんだよ。走って、リナ！』

（走りたいわ。けれど足が動かないの。お兄様）

リナレーアの視線は男の漆黒に吸《す》い込《こ》まれるようにして動かない。すると男が困ったような顔をした。

『しょうがないな。僕が君の頭の中を食べてあげる。大丈夫。今見たことを忘れるだけだ。じっとしてて』

今度はヴァルターは男の手を振り払わなかった。

その理由はわからない。

このままでは、妹が壊れてしまうと思ったのかもしれない。男の手がそれを救うのだと。

男の漆黒が近づき、額に温《ぬく》もりが押《お》し付《つ》けられる。

口付けをされているのだ、と頭のどこかが理解した。

先ほどのロレインと同じ。

次の瞬間、リナレーアは頭の中でたくさんの花が咲《さ》くのを見た。それは、これまで見たことがないくらい美しい光景だった。頭の中にはこんなにもたくさんの花の種があったのだ。それが男の口付けによって一斉《いっせい》に開花し、むせかえるほどの香《かお》りを放っている。

花は大きさも色も様々で、今まで見たことがないような花が多かった。

(花見会に似ているわ)

夢を見ているリナレーアは思った。

王宮で見たたくさんの夜の花。あの時夫と交《か》わした言葉を思い出そうとしたが、うまくいかない。彼はなんと言っていた？　自分はなんと返したのだろう。

とにかく、途方《とほう》もない幸福の中にいたことは確かだ。何も知らず、ただ幸せだった。

リナレーアはゆっくりと瞼《まぶた》を開けた。

薄暗い室内に、細やかな細工のされた天井《てんじょう》が見える。モーム男爵《だんしやく》の家でも、レイデ家の屋敷でもない。リナレーアはまだ霞《かす》みがかったようになっている頭を緩慢に動かして傍《かたわ》らを見た。

右手を、温もりが包んでいた。

自分と同じ赤茶色の瞳がこちらを見つめている。その揺《ゆ》れる瞳がまるで断罪を待つ罪人のように見えて、リナレーアは口を開いてかすれた声を出した。

「泣かないで、お兄様」

ヴァルターは一度驚いたように目を丸くした後、くしゃりと顔を歪めて笑った。

「泣いているのは君だよ、リナレーア」

その言葉を証明するように、リナレーアの瞳から溢れた涙が耳の上を伝っていった。


リナレーアが眠っていたのはヴァルターの寝台《しんだい》だった。つまり、ここは王宮なのだ。まるで十時間以上眠ったかのように頭の中はすっきりしていたが、まだ日は跨《また》いでいならしい。ただ太陽はとっくに沈《しず》み空には星が瞬《またた》いている。

「もう夜だ。お腹《なか》が空《す》いただろう」

兄はそう言って玉ねぎのスープを出してくれた。

ヴァルターの得意料理の一つである。とろとろに溶《と》けた玉ねぎと味わい深いスープが空《から》っぽの胃に染《し》み入《い》るようだった。

ヴァルターは、無言のままひと匙《さじ》ひと匙口に運ぶリナレーアの前に座《すわ》った。

「ミートパイを作る時間はなかったんだ。ごめんね」

「……美味《おい》しいわ」

言葉を口にすると、それが栓《せん》であったかのように一度は止まった涙がぽろぽろと溢れてきた。リナレーアは仕方なく、食べる手を止めて涙が溢れるままにした。

「目が溶けてしまうよ」

ヴァルターは手を伸ばして、優しく涙を拭《ぬぐ》った。

「ごめんね。少し乱暴だったかな。最後の手段だったんだ」

リナレーアはやっと、顔を上げてまっすぐ兄を見ることができた。

目の前に座る男は、自分が信頼してやまない優しい兄だ。ヴァルター＝エンブリー。いつもリナレーアの味方をしてくれて、あの時も、彼女を守ろうとしてくれた。

「わたくしに何をしたの？」

ヴァルターは首を傾《かし》げて笑った。

「暗示をかけたんだよ。夢を誘導《ゆうどう》して記憶を取り戻すためにね。実は前にも一度やったことがあるんだけど、その時は成功しなかった。今ならうまくいくんじゃないかと思ったんだが」

前にもやったことがある、という言葉にリナレーアは驚かなかった。代わりに答える。

「うまくいったわ」

「そうは思えないな」

ヴァルターは一度困ったような表情を見せたが、首を振ってそれを振り払った。

「……モーム男爵を恨《うら》むなよ。彼は、私の嘘に騙《だま》されただけだ」

言ってから、ヴァルターは少し笑った。

「ものすごく、怒られたよ。怖かったな。頭から食べられてしまうかと思った」

「あの方は、とてもいい方よ」

リナレーアは涙の止まった目でじとりと兄を睨んだ。モーム男爵を騙すなんて。

「うん。わかってる。今も実は隣の部屋にいらっしゃるんだよ。私が君に何をするのかわからないからと言ってね」

「え？」

一度腰を浮《う》かせたが、ヴァルターがそれを制止した。

「聞きたいことが、あるのだろう？」

「……」

リナレーアは再び椅子に腰を下ろすと、背筋を伸ばし兄に向き直った。

「もう嘘はつかないと約束してくださいますか？」

「もちろんだよ、リナレーア」

「どうして屋敷では何も知らないふりをなさったの？」

「あの時点ではまだ、終わっていなかったからね。でももう一段落ついた。君に嘘をつく必要はなくなったんだ」

「……」

リナレーアは兄の言っている意味がよくわからなかったが、一度目を伏《ふ》せ一番聞きたかったことを口にした。

「……お兄様が、『魔物解放団』の首領なの？」

「そうだ」

予想していた答えであっても、冷静でいられるというわけではなかった。頭の中が嵐《あらし》のように混乱したが、リナレーアはそれが静かに落ち着くまで黙《だま》って待った。

「どうして？」

「私の大切なものを守るためだ」

ヴァルターは続ける。

「君を、リナレーア」

彼は腕を伸ばしてテーブルの上のリナレーアの手を握《にぎ》った。優しい温もり。自分はずっとそれに守られていた。

「私はあの時、君を抱えてでも逃げるべきだった。けれどできなかった。あまりに臆病《おくびよう》だったからだ」

「いいえ、お兄様。わたくしが悪いの。わたくしが動けなかったから」

リナレーアが慌てて否定すると、ヴァルターは笑った。

「どうやらある程度暗示には効果があったようだね。けれどそれは違う、リナレーア」

ヴァルターは首を振った。

「私は君の兄で、君の保護者としてあの場に同行したんだ。だからなんとしてでも私は君を守るべきだった。けれどあの恐ろしい魔物を前にして……動くことができなかった。私は、あの魔物が君の頭の中を食べるのをただ見ていたんだ」

あの時リナレーアがまだ七つであったように、ヴァルターもまた十三歳の子供だった。幼い彼は放心してしまった妹を置いて逃げることもできたのに、そうしなかったのだ。その勇気は称賛《しょうさん》されてしかるべきものだったはずだ。

「最初はね……私もあの時のことを忘れるように努めた」

ヴァルターは自嘲《じちょう》するような笑《え》みを浮かべた。

「だって君は本当に、あの時のことを忘れただけのように見えたからだ。男が君の額に口付けをした後、私はなんとか君を背負ってあの家を逃げ出した。そして屋敷に戻る途中で、君は目覚めた」

そうだったろうか。リナレーアはその時のことはまだ思い出していなかった。ヴァルターは優しく笑う。

「『あら？　どこへ行くの？　お兄様』。君は無垢《むく》な笑顔《えがお》でそう言ったんだよ。君が何も覚えていなかったから、あそこで何が起きたのか、私は結局誰にも語らなかったんだ」

「アロイスお兄様やディートリンデお姉様達もご存知《ぞんじ》ではないのね」

自分達の身に何が起きたのかを。

「そうだよ」

ヴァルターが頷《うなず》く。

「夢だと思いたかった。実際、そう思うのは簡単だった。君は覚えていないし、他は何も変わらない。そうだね、変わったことといえば、君が『霧《きり》の魔物』を怖がらなくなったことくらいだった。私達の可愛いリナレーアは以前にも増して無鉄砲《むてっぽう》でお転婆《てんば》になって、私達を困らせた」

エンブリー公爵領で子供をしつける時に語られるのが『霧の魔物』である。いい子にしていないと、『霧の魔物』に霧の中に連れ去られてしまうのだ。確かにリナレーアは、いつからか自分が『霧の魔物』を恐れなくなっていることに気づいていた。

「十五歳になって王都の学校へ行くという話が出た時、私は喜んで行くと答えた。今思えば……君と離れたかったのかもしれない。君から離れた方が、あの時のことを夢だと思い込むのは簡単に思えたんだ」

ヴァルターは、リナレーアが悲しい顔をしていることに気づいて首を振った。

「君を嫌いになったわけじゃないよ。それは本当だ。私が期待していた通り、目まぐるしい学校生活はあの恐ろしい日のことを忘れさせてくれた。私は帰省するたび君に会うのが楽しみだったし、君は私の学校生活の話を目を輝かせて聞いてくれた。……けれど私はすぐに、自分の愚かさを目の当《ま》たりにすることになった」

リナレーアの手を握っていたヴァルターが手に力を込める。顔色が悪かった。彼はそれを口にするのも恐ろしいような様子で呻《うめ》くように言った。

「……君は一度死にそうになった」

リナレーアは瞬《まばた》きをする。

「魔剣によって、あの森で」

はっとした。九年前の話だ。リナレーアは一人で森に入り、魔剣に襲《おそ》われた。間一髪《かんいっぱつ》で助けてくれたのが、運命的な再会を果たしたザイラスだったのだ。

「その話を聞いた時、私は確信した。だって、いくらなんでも異常だ。あの日魔物に頭の中を食われるまで、君は好奇心旺盛ではあるが暗闇《くらやみ》を恐れる泣き虫な女の子だった。覚えてる？　壁の染みが怖いといって夜中に泣き出して私達を困らせたことさえあったんだ。その君が、暗い森に一人で入っていっただって？　ありえない。それから私は、君の侍女に君の毎日の行動を逐一《ちくいち》報告させた。そして私は、君が恐怖という感情を失っていると結論付けた」

ヴァルターは一度息を吸った。

「恐ろしかった」

吐くと同時に言う。

「恐怖を忘れた君は好奇心のままどんなことだってするし、どんなところにだって行く。あの時君を守れなかったことへの贖罪《しよくざい》のためにも、私は君に恐怖を取り戻さなければならないと思った」

「お兄様のせいじゃないわ。贖罪なんて必要ないの」

リナレーアは、なんとかそこの部分を兄にわかってほしかった。あれは、子供だった自分達にはどうしようもない出来事だったのだ。兄が責任を感じる必要なんてどこにもない。両親だってきっとそう言うはず。

しかしヴァルターは、一度首を振っただけで続けた。

「私はまず、あの時の女性のことを調べた。もう一度家にも行ったよ。別の人が住んでいたけれどね」

リナレーアは兄を少し睨《にら》んだ。まったく、こういう部分で彼はとても頑固《がんこ》なのだ。そしてそれは、エンブリー家の兄弟全員に当てはまる特性だと言えた。

彼女は黙って兄の話を聞くことにした。

「少し時間がかかったが私は彼女がかつて王都で働いていたことをつきとめ、レイデ伯爵にいきついた。わかるね？　ザイラスの祖父君《そふぎみ》だ」

「バルノート＝レイデ様ね」

ロレインを追い出した先代の伯爵である。

ヴァルターはようやくリナレーアの手を離してくれた。そこで初めて、兄の手が汗《あせ》ばんでいたのだとわかる。彼は椅子の背もたれに体重を預け、目を瞑った。

「私が事情を話して問《と》い詰《つ》めると、彼はすべてを語ってくれたよ。私の妹の記憶と感情を食べたのは、自分の息子だと」

リナレーアは小さく息を吸って心臓を抑《おさ》えた。

見えない手に首を絞《し》められているかのように少し息苦しい。

けれどヴァルターはそれに気づかないまま続けた。

「そして彼は、『魔物解放団』のことを教えてくれた」

リナレーアは驚いた。

「レイデ伯爵が？　どうしてですか？」

ヴァルターは一度目を開けてこちらを見た。

「『魔物解放団』を最初に作ったのは、伯爵だったんだ。彼の息子を人間にするためにね」

「そんな……」

リナレーアは完全に混乱した。

つまり、魔物使いの祖父が『魔物解放団』を作ったというのか？　魔物として生まれてしまった息子のために？

魔に苦しめられる者を救うこと。それが『魔物解放団』の理念だとマリアンヌは言った。

「数年後、伯爵は私を呼び出して解放団を譲《ゆず》ると言った。息子の死を知ったそうだ。彼の希望は失われた。……伯爵は、解放団の研究成果を、リナレーアの感情を取り戻すために使ってほしいと言った」

兄のその言葉は、リナレーアに殴りつけるような衝撃《しょうげき》を与《あた》えた。

希望が失われた？

その時にはもう、彼は孫であるザイラスを見つけ出していたはず。死んだ息子の忘れ形見を。それなのにザイラスは、彼の希望になり得なかったというのだろうか。

（そんなのひどすぎるわ）

『皆《みんな》、俺《おれ》を置いていく』

あの言葉の重みを今さらながらに痛感した。

ザイラスの母は愛する人の手によって死ぬことを選び、父は彼の手を取らず、祖父は彼自身を見なかった。

彼は常に置き去りにされてきたのだ。

誰も信用できなくなって当然だ。むしろそれでもなお生きることを放棄《ほうき》せずいられたのは、彼の強靭さの表れだと言える。あの黒曜石《こくようせき》のような瞳に宿る光。リナレーアが心を奪われた光だ。

世界で一番綺麗なもの。

この時、リナレーア＝レイデは一つのことを心に決めた。

それを決めると、心のつかえが取れたかのようにすっきりとした。もう息苦しさもない。こうなると、それまで悩《なや》んでいたことが嘘のようだった。

（……そうよ。こんなにも簡単なことだったのだわ）

彼女は本来の自分が戻ってきたような感覚になっていた。

「私は喜んで『魔物解放団』を引《ひ》き継《つ》いだ。そしてその研究成果をすべて調べたよ。伯爵が雇《やと》った研究者は皆知識に貪欲《どんよく》で優秀《ゆうしゅう》で、彼らは既に魔具と呼ばれるものを生み出していた。その中で私が注目したのが、破魔具《はまぐ》だ」

魔剣だ。

魔を破る特別な魔具。

「魔剣を作った研究者は既に病《やまい》で亡《な》くなっていた。作成者の死と前後して魔剣は紛失《ふんしつ》していたが、彼の研究資料は残されていたんだ。魔を破る剣。それこそが、魔物に記憶を食われた君を救う手段になるかもしれないと私は思った。そしてその捜索《そうさく》に没頭《ぼっとう》した」

ヴァルターは重い息を吐き身体を起こした。懺悔《ざんげ》でもするように両手をテーブルについてリナレーアを見る。

「私は、君を助けられればそれでよかった。だから『魔物解放団』の手綱《たづな》を取ることを怠《おこた》ったんだ……。その結果、グレイス伯爵のような輩《やから》が現れて、『魔物解放団』は私利私欲のために利用されるようになった」

マリアンヌの言っていた通りだ。

リナレーアはこの時、あの悲しい女性を思った。

『誰よりもあなたを案じ、慈《いつく》しんでおられるのはあなたの夫ではなくあの方です』

マリアンヌは、時折リナレーアに憎悪とも嫉妬《しっと》とも取れるような視線を向けた。

もしかして彼女は、兄を愛しているのではないだろうか。

ヴァルターは優しい人だ。マリアンヌの悲しみに寄《よ》り添《そ》い、救った。心を奪われてもおかしくはない。

しかしリナレーアのそんな心の内を読めないヴァルターは続けた。

「焦《あせ》ったよ。抑える人間が必要だった。だからヘンリックに、当時国内における魔物騒動《そうどう》を片付けるために放浪《ほうろう》していたザイラスを、王都に呼び寄せるよう進言したんだ」

そこでヴァルターは一度言葉を切った。

様々な感情がないまぜになったような笑みを浮かべ、一度瞬きをする。

「まさか君達が、互いに心惹《ひ》かれるようになるなんてね」

リナレーアは覚えていなかったが、あの音楽会での出会いは三度目の邂逅《かいこう》であったのだ。

一度目はあの海沿いの町で、二度目は魔剣に襲われた森で。

そしてザイラスはそのことを知っていた。

彼は知っていたのだ。

ずっと。

「……ヘンリック様は、お兄様が『魔物解放団』を引き継いだことをご存知ではないのですか？」

「ヘンリック？　さぁ、どうだろうね。少なくとも、私は話していないけれど、どうかな」

ヴァルターにとってそれは、どうでもいいことのようだった。

「リナ」

彼は腕を伸ばして、今度はリナレーアの頬に触れた。

ああ、この手だ。ピアットリー座の地下で、リナレーアの頬に触れた怪人《かいじん》の手。

「結局手に入れた破魔具は、君を救う手段にはならなかった。だから私は何度か強硬手《きょうこうしゅ》段を取った。君を地下に閉《と》じ込《こ》めたのは、暗闇の中で君の恐怖が爆発《ばくはつ》しないかと期待したからだ。結局、姉上を怖がらせただけだったけれどね」

彼は一度笑ってから、悲しそうに続けた。

「十一年前……いや、もうすぐ十二年になるな。あの時の記憶は戻っているんだろう？　それなのに、感情は戻らないのか？　リナレーア。恐怖は君を守る盾《たて》だ。何も恐れない君を守るためには、どこかに閉じ込めておくしかない」

リナレーアは頬の上にある兄の手に自《みずか》らの手を重ねた。

「お兄様。わたくしはすべて思い出したわ。怖いという感情だってわかる」

「それなら君は私を恐れるはずだ」

リナレーアは目を丸くした。なるほど。そこだったのだ。兄がずっとこだわっていたのは。疑いもしていなかったのは。

恐怖を思い出したリナレーアは、自分を恐れるはずだと。

彼女は思わず噴《ふ》き出《だ》して笑った。

「どうして？」

そして聞く。

「君を騙していた。君だけではない。周囲の人間すべてを、だ。ちょっと、リナ。笑うところじゃないよ」

不満そうに口をとがらせる兄に、リナレーアはくすくすと笑う、

「でもお兄様。すべてはわたくしのためでしょう？」

目頭《めがしら》が熱くなる。

先ほどようやく止まった涙が、再び目尻《めじり》からこぼれ落ちた。

「お兄様。わたくし、もう劇場の地下に閉じ込められるなんてごめんよ。二階から飛び降りたりしないし、一人で真夜中に飛び出したりしない。もう子供じゃないから、霧の魔物や壁の染みは怖くないけれど……」

リナレーアは立ち上がり、テーブルを回り込むと椅子に座ったままの兄を抱きしめた。

「お兄様が大好きよ。だから怖くないの」

なんて遠回りをしたのだろう。

すべての原因は、自分の弱さだった。

謝《あやま》るべきは自分ではないか。

兄は常に、妹を守ろうとしてくれていたのだ。

「ごめんなさい、お兄様。ありがとう……」

「……」

兄の腕がそっとリナレーアの背に回される。

彼もまた、あの日に囚《とら》われていた。リナレーアが記憶と感情を失っている間ずっと、罪悪感と恐怖に苦しんでいたのだ。

どうか、解放されてほしいと彼女は願った。ヴァルターは十分苦しんだ。

彼があの日のことを忘れても、責める人間はどこにもいない。

その時、リナレーアの背後でガシャンと窓が割れるような音がした。何事かと振り向く前に、目を剥《む》いたヴァルターが彼女を引き寄せ床に倒れる。

彼女は左肩《ひだりかた》を強《した》かに打ちつけた。慌てて身体を起こす。

すると目の前に、完全に正気を失った様子の獣《けもの》の影《かげ》が落ちた。

いや、人間だ。着ている白いシャツは泥《どろ》にまみれあちこちに鉤裂《かぎざ》きができている。むき出しの左足は赤黒く変形していて、荒《あら》い息を漏《も》らす口からは涎《よだれ》が垂《た》れていた。汗と泥がないまぜになったツンとした臭《にお》いが鼻につく。

リナレーアは青ざめた。

「グレイス伯爵……」

『魔物解放団』に属しながらも、魔具を売って一人国外に逃亡《とうぼう》しようとしていた男である。逃亡の際に負った怪我を治療《ちりょう》するため魔具を身体に取り込み、その結果正気を失って河に飛び込んだはずだった。だがまさか、王都までやってきているとは……。

《エ、んぶりー、オマえのセいだ》

グレイス伯爵は低く聞き取りにくい声で言った。

《ワたシを、ナオせ。モトに》

だらりと垂れた両手には、鋭《するど》い獣のような爪《つめ》が伸びている。

リナレーアは自分の脚《あし》が震えていることに気づいた。

(なんてこと。これが、恐ろしいということなんだわ)

全身の毛穴さえもきゅっと小さくなり、息苦しくなる。

逃げたい、と叫《さけ》ぶように思うが身体が思うように動かない。

「お兄様」

伯爵からは目を逸《そ》らさないまま、リナレーアはなんとか兄の服の袖《そで》を引いて逃亡を促《うなが》そうとした。その手がぬるりと濡《ぬ》れたものに触れ、仰天《ぎようてん》する。

「お兄様⁉」

見れば、ヴァルターは腕に怪我を負っていた。あの爪にやられたのだ。リナレーアを庇《かば》った時に。

「そんな」

血がヴァルターの服を濡らしていく。リナレーアはなんとかそれを止めようとして血が流れているところを押さえた。

「痛いよ、リナ」

ヴァルターは笑った。額に脂汗《あぶらあせ》が浮かんでいる。

「でも、お兄様、血が」

大きな血管を破ってしまったのだろうか。血が止まらない。リナレーアは混乱した。

「いいから、君は先にお逃げ。どうやら彼は私に用事があるようだ」

「駄目よ、そんな」

手が震える。目に涙が浮かんでくる。

失った感情を取り戻した自分の、なんて役たたずなことだろう。

恐怖でこんなにも思考がかき乱されるなんて。

《ドケ、オンな！　ソイツをヨコセ！》

グレイス伯爵が咆哮《ほうこう》を上げた。

リナレーアは、とっさに目の前のヴァルターを抱きしめた。

「駄目だリナ！　離れて！」

兄に怒鳴《どな》られても、退《ど》く気はなかった。今度兄を守るのは自分の役目だ。

振り向く勇気はない。彼女はぎゅっと目を瞑った。

しかし想像していたような痛みはやってこず、代わりに傍らを疾風《しっぷう》が過ぎ去った。直後にぎゃおおお！　と獣同士が戦うような声が聞こえる。

リナレーアは顔を上げた。

「モーム男爵！」

そして、グレイス男爵に飛びかかった者の正体を知った。隆々《りゅうりゅう》とした体躯《たいく》、全身を覆《おお》う豊かな毛並み。狼《おおかみ》の姿になったルイマール＝モームだ。

《お逃げください！　リナレーア様！》

モーム男爵が叫んだ。

《どうかお早く！》

その声で、リナレーアの中で何かがかちりと切《き》り替《か》わった。

怪我をしていない方のヴァルターの腕を掴んで、自分の肩に回す。

何をするんだ、と言いたげなヴァルターをリナレーアは叱咤《しった》した。

「お兄様。走ってください。脚は怪我していないでしょう？　逃げるんです。今度は二人で」

「リナ？」

ヴァルターが瞬きをした。

「リナ……」

「走りますよ！　急いで！」

ヴァルターは口を引き結んだ。

「……大丈夫。自分で立てるよ」

そう答えると、なんとか自らの脚で立ち上がり妹の手を引く。

「行こう、リナ」

（モーム様、どうかご無事で……！）

リナレーアにできることは、ただそう祈《いの》ることだけなのだった。

4.

屋敷《やしき》へ戻《もど》ったザイラスは、マーティンが担《かつ》いでいた男を空《あ》いている部屋へ運ばせた。男は浅い呼吸こそしているものの、ずっと気を失ったままだ。確認《かくにん》したところ腕《うで》にたくさんの注射の痕《あと》があったので、ここから栄養を直接注入されて生きながらえているのだろうと推測できた。

「包帯を外せ」

主人の命令を受けてマーティンが鋏《はさみ》を取りに部屋を出ようとしたところ、部屋の戸口にエイダが現れた。前掛《まえか》けのポケットから無言のまま鋏を取り出して女魔物《まもの》に渡《わた》す。彼女《かのじょ》は微笑《ほほえ》んで「ありがとう、エイダ」と言った。

マーティンは早速《さっそく》男の包帯を切りにかかったが、エイダは去らなかった。女魔物の作業を見守るザイラスを、じとりと睨《にら》み戸口から動かない。

「……」

無口な女使用人は、その目で多くを語る。

ザイラスは息を吐《は》いてエイダを振《ふ》り向《む》いた。

「なんだ」

エイダは瞳《ひとみ》を冷たく細める。

「どうして奥様《おくさま》を捜《さが》しに行かれないのです」

リナレーアを気に入っているエイダなら、そう糾弾《きゅうだん》してくるのは十分に予想がついたので、ザイラスは肩《かた》をすくめた。

「ディンヴィリヴェーラが馬車の跡《あと》を追ってる。見つけたらすぐ報告がくるさ」

牢獄《ろうごく》の塔《とう》を出た時点で、あの灰豹《はいひょう》にしか聞こえない笛を吹《ふ》いて呼び寄せていた。馬車の轍《わだち》が途中《とちゅう》で切れていても匂《にお》いは残っているはずだ。ディンヴィリヴェーラなら見つけるのも時間の問題だろう。

自分が闇雲《やみくも》に捜しに出ても時間と労力を無駄《むだ》にするだけだ。ザイラスはそう冷静に判断して屋敷に残っているのだった。

「心配ではないのですか？」

エイダの言いたいことはわかっている。

リナレーアが行方《ゆくえ》不明だというのに、何を冷静に報告を待っているのだ、と言いたいのだ。いつものザイラスであるなら、矢も盾《たて》もたまらず飛び出しているに決まっている。リナレーアが見つかるまで他の何も手につかないだろう。

ザイラス自身も、自分の変化に少々戸惑《とまど》ってはいた。

妻の不在で、こんなふうに心を乱さずにおれるなんて。

彼《かれ》はこの平静の底にあるものを覗《のぞ》き込《こ》もうとした。

決断を経た水面は凪《なぎ》の海のように静かで、空には指針となる星が一層輝《かがや》いている。

(決めたからだろうな)

自分のすべきことを。彼女のための最善を。

だからこんなにも落ち着いていられるのだ。

決めたのだから、もう迷わない。

その時、部屋の外から玄関扉《げんかんとびら》の叩《たた》かれる音が聞こえた。

この空き部屋は二階の吹《ふ》き抜《ぬ》け廊下《ろうか》に面していて、部屋を出ればすぐ玄関広間を見下ろすことができる。

「……」

「……」

ザイラスとエイダはしばらく無言で睨み合っていたが、やがてエイダがぷいと踵《きびす》を返《かえ》して部屋を出て行った。

わざわざ玄関扉の金具を鳴らして来訪を告げたのならディンヴィリヴェーラではない。

ザイラスはすぐ寝台《しんだい》に横たわる男の方に興味を戻した。

うつ伏《ぶ》せで眠《ねむ》る男の包帯はすべて切り終わったようだ。むき出しになった背中には、大きな傷口が二つあった。ザイラスは男に近づき傷口を覗き込む。

縫《ぬ》われ赤く盛り上がっているその傷は、十五センチほどあるだろうか。縦に二本、少し内側に斜《なな》めになった状態で並んでいる。

縫い方は丁寧《ていねい》で、専門家の手によるものだと知れる。牢番《ろうばん》をしていたあの老人が縫った可能性は高いだろう。傷を治療《ちりよう》した後も、あの地下で老人はこの男の面倒《めんどう》を見ていたのだから。

ザイラスは、傷口を覗き込むのをやめて今度は男の顔を見た。

おそらく、年齢《ねんれい》は二十代後半。髪《かみ》は黒く目と鼻は小さい。それに口元には黒子《ほくろ》があった。

「翼《つばさ》を切り取ったのです」

その声は、戸口から投げかけられた。

ザイラスは少し驚《おどろ》いて振り向く。そこには、金髪《きんぱつ》を結《ゆ》い上《あ》げ喪服《もふく》のような黒いドレスで全身を包んだ女が立っていた。

「ごきげんよう、お邪魔《じやま》しております。レイデ伯爵《はくしやく》」

マリアンヌ＝バレーラはザイラスと目を合わせると膝《ひざ》を折って微笑む。今の彼女は以前のように派手な化粧《けしよう》もしておらず、まるで寡婦《かふ》のようであった。

彼女の背後には無表情のエイダが立っている。

「レベッカはどうした？」

ザイラスがそう問うと、エイダは「ディンヴィリヴェーラに合流しました」と短く答えた。

おそらく、リナレーアが行方不明であること、ディンヴィリヴェーラが捜索《そうさく》中であることを聞いて加勢に行ったのだろう。確かに、ディンヴィリヴェーラだけでは目立つ。リナレーアが連れ去られた先を調べるのには、レベッカのような諜報《ちょうほう》向きな魔物が一緒《いっしょ》であれば何かと役に立つかと思われた。

「目を覚ましたのか」

ザイラスは、今度はマリアンヌに言った。マリアンヌは微笑んだまま答える。

「レベッカさんに、伯爵にお手紙を出すより直接参上した方が早いと申し出たのです。リナレーア様がまだ見つかっていないとか……」

「いや、一度見つかったんだがな、またいなくなったんだ」

マリアンヌは首を傾《かし》げた。

「どういうことですか？」

女の顔色は決していいとは言えない。

しかしザイラスにこの女を心配する義理はなかった。

それどころか、この女のせいで自分は妻の首を絞《し》めてしまったのだから、慰謝料《いしゃりょう》をもらいたいくらいだった。

「それより、さっきあんたなんて言った？　この男を知っているのか」

彼は聞いた。

マリアンヌは何を聞かれたのか一瞬《いっしゅん》わからない様子だったが、すぐに頷《うなず》いて答えた。

「はい。彼の名はハーク＝アインハウズ」

やはり、とザイラスは思った。寝台の上で眠る男をちらりと見る。

「トワニィ＝アインハウズの息子《むすこ》だな？」

「おっしゃる通りです」

一目見て、アインハウズの言っていた特徴《とくちょう》に合致《がっち》すると判断して連れ出したのは正解だった。半魔になったという恩師の息子が、まさか自分の隣《となり》の房《ぼう》で捕《と》らえられていたとは。

「何をした。どうして目を覚まさないんだ」

マリアンヌは答える代わりに部屋の中に入り、ハーク＝アインハウズに歩み寄った。うつ伏せで眠る男の傷口を見て、顔を覗き込む。

「私が最後に見た状態と変わりはないですね。彼は、今のところ順調です。もう半魔とは呼べないでしょう」

「どういう意味だ」

順調だと？

ザイラスは眉《まゆ》を寄せた。顔を上げてザイラスを見るマリアンヌの唇《くちびる》が弧《こ》を描《えが》く。紅《べに》が塗《ぬ》られていないはずのそれは、しかし驚くほど妖艶《ようえん》だった。

「彼に埋《う》め込《こ》まれていた魔具は切り取られたのです。白く大きな翼が生《は》える魔具でした」

「人間に戻ったということか？」

「少なくとも、半魔としての特異能力は失われました。あとは意識が正常に戻るかどうかですね。その結果如何《いかん》によっては、成功例とは呼べないかもしれませんが……」

ザイラスは、渓谷《ケイティング》の街でリナレーアが残した書き置きを思い出していた。

彼女は、マリアンヌから得られた情報をわざわざ書き残していったのだ。『魔物解放団』の内部で行われていた、人工的に魔物を作る研究。半魔。それに、グレイス伯爵の陥《おちい》った状況《じょうきょう》。

ザイラスは既《すで》に、一つの結論に到達《とうたつ》していた。

「魔剣だな」

彼が言うと、マリアンヌは心から感嘆《かんたん》した様子で目を丸くし、微笑んだ。

「さすがは、魔物使い様」

それが答えだ。

（やはり、そうだったか）

ザイラスは一度目を瞑《つぶ》った。

魔剣は、半魔を人間に戻す道具だったのだ。

魔を破る、というのはそういうことだ。たった一撃《いちげき》で怪鳥《かいちょう》ガルアダを殺したその魔物に対する殺傷能力は、半魔を救うために作られたものだったのだ。

「人間を魔物にする研究は十年以上前から行われていました。魔物を人間にするという目的に対して、逆説的な方法で解決策を見出《みいだ》そうとしたのです。けれど当時の研究者達《たち》は、早い段階でその研究を中止し凍結《とうけつ》した。魔剣によって当時生まれた半魔を適切に処理し、研究資料の一部を破棄《はき》したんです。その後魔剣は紛失《ふんしつ》して破魔具《はまぐ》という名だけが残りました」

老人の苦悶《くもん》の声が蘇《よみがえ》る。

『儂《わし》らも知っておった。……じゃが一度始めたことを、途中でやめることはできなんだ。それまでの、犠牲が無駄になるからの。……『魔物を人間に戻す』。そんな途方《とほう》もないことを、若い頃《ころ》は可能だと疑っていなかった』

「当時生まれた半魔達は皆《みな》死んだのか」

でなければ、『適切に処理』などという言葉は使わないだろう。

マリアンヌは首を振った。

「詳細《しょうさい》はわかりません。そこのところの資料も残っていませんから。実のところ、魔剣が半魔のために作られたものであると記述された資料が見つかったのも最近のことなのですよ。でなければ私達《わたしたち》はあれを捜そうとはしなかったでしょうね」

「ヴァルターは、だろう」

ザイラスは皮肉を込めて訂正《ていせい》した。今度はマリアンヌも驚かなかった。

「もうご存知《ぞんじ》だったのですね」

女は否定しなかった。自分の上に立つのがヴァルター＝エンブリーであることを。

「あの野郎《やろう》、俺《おれ》を牢に入れやがったからな。落とし前はつける」

――結局のところ、すべてリナレーアなのだ。

『もしかして、さっきの女の子と男の子も君の友達？』

母を食ったあの男は、家に帰ってきたザイラスを見てそう言った。つまり、リナレーアは一人ではなかったのだ。ヴァルターは、ザイラスの父が母を食ったあの日、リナレーアと共にいた。

となれば、彼は気付いただろう。

あの忌々《いまいま》しい日を境にリナレーアが恐怖《きょうふ》という感情を失っていることを。

そこを起点に、現在の状況までの経緯《けいい》を想像することは難しくない。

ヴァルターはリナレーアに感情を取り戻させようとした。恐怖を失った彼女がどんなに危険かは見ていればわかる。むしろ、今まで無事であったことの方が不思議なのだ。リナレーアが公爵令嬢《こうしやくれいじよう》としての仮面を被《かぶ》っていたことが幸いしたと言っていい。もし彼女がその夢を叶《かな》えて女冒険家《ぼうけんか》にでもなっていれば、自《みずか》ら危険に突《つ》っ込《こ》んでいって早々に死んでいただろう。

ヴァルターはまずリナレーアの頭の中を食った魔物について調べたのだ。そしてバルノート＝レイデに行き着いた。男は問《と》い詰《つ》め……そして老人は暴露《ばくろ》した。

バルノート＝レイデが残した手帳の最後の方にはこういう記述があった。彼が病死する少し前の日付である。

『訪問者あり。団を譲《ゆず》る。贖罪《しょくざい》のため。』

ザイラスは当初、それを父であるゲイル＝レイデのことだと思った。祖父《そふ》が発する『贖罪』、という言葉に当てはまる人物として父しか思《おも》い浮《う》かばなかったからだ。けれど……そうではなかったのだ。

ヴァルターは、妹を救うために『魔物解放団』を手に入れた。しかし御《ぎょ》しきれず、グレイス伯爵のような者が台頭してきた。それがおそらく、二年前だ。王都で魔物絡《がら》みの事件が増えザイラスが呼ばれた。

『王も魔物使いもいない間に、私にはやるべきことがあった。そしてそれはまだ終わっていない……』

そして今、ヴァルターはすべてを清算しようとしている。

「ヴァルター様はずっと苦しんでおられました」

マリアンヌが言う。

「愛する者を守れなかったことで、自分を責めていらっしゃった。けれどあなたが現れたから……」

「俺が？」

ザイラスには、マリアンヌの言わんとするところがわからなかった。

女は穏《おだ》やかな顔で続ける。

「お気付きではないですか？　あなたと恋《こい》をして、リナレーア様は目に見えて変わった。ヴァルター様が言うには、頑《かたく》なだった蕾《つぼみ》がほころんだようだと。恐怖を失《な》くした影響《えいきょう》か、リナレーア様には他の強い感情も乏《とぼ》しかった。怒《いか》りや、憎悪《ぞうお》、歓喜《かんき》……胸を震《ふる》わすそれらの感情さえ、彼女はあまり表面に出さなかったそうです。けれどあなたへの恋心を自覚してから、それが目に見えて変わった。私への怒りを露《あら》わにし、大好きな姉君に反抗《はんこう》した。ヴァルター様は、リナレーア様の感情が揺《ゆ》れ動《うご》いているのを感じ取った。それで失った恐怖を取り戻すのは今が好機だと踏《ふ》み切《き》ったのです」

「まさか、だからあいつを地下に連れ去ったんだとか言うんじゃねぇだろうな」

「その通りです。暗闇《くらやみ》は恐怖を助長しますからね」

やはり、あの時リナレーアが会ったと言っていた怪人《かいじん》もヴァルターだったのだ。ザイラスは舌打ちをした。

「その際、夢を誘導《ゆうどう》して過去を思い出す暗示をかけようとしましたが、それは失敗しました」

「ヴァルターがそこまで馬鹿《ばか》だったとはな」

マリアンヌはにっこりと微笑んだ。

「それだけ、ヴァルター様は妹君を大切に思っておいでなのです」

なるほど、シスコンはシスコンでもかなり常軌《じょうき》を逸《いっ》したシスコンだったというわけか。

「しかし同時に、ヴァルター様は『魔物解放団』の一部の暴走を憂《うれ》えておいででした。そこで私を伯爵らに近づかせ、地下市場を摘発《てきはつ》し、ロイダー卿《きょう》を捕らえたのです。魔剣がリナレーア様の感情を取り戻すのに有効ではないとわかってからは、それさえも利用してグレイス伯爵を泳がせたのは、彼が隠《かく》し持《も》つ魔具をすべて放出させるためです。案の定、彼は『指輪』の魔具を残してすべてを売《う》り払《はら》い、国外へ逃《に》げようとした」

なるほど。

渓谷《ケイティング》の街に残された書き置きの中で、リナレーアは、なぜマリアンヌが王宮によって回収されたグレイス伯爵の魔具を把握《はあく》しているのか疑問視していた。ヴァルターが黒幕なら答えは簡単だ。

「あの方は、あなたを信頼しておいででした」

マリアンヌはザイラスをまっすぐに見て言った。

「だからすべてが終わった後、まずあなたに糾弾されることを選んだ」

『君が読むことを想定してそれを書いたからね』

王都を離れた妹に、ヴァルターが送った手紙。あの男は、手紙を読んでザイラスが真実に行き着くことを見越していたのだ。本来手紙が渓谷の街《ケイティング》に到着するはずだったのは今週――つまり、すべてが終わった後だ。

もしグレイス伯爵の一件がなく、手紙も通常通りついていれば、ヴァルターが『魔物解放団』の首領であるとザイラスが気づくのは、それからになっただろう。ヴァルターにしてみれば、自らが引き起こしたことの清算が終わっていないあの時点で、罪を暴《あば》かれるわけにはいかなかったのだ。だからザイラスを投獄《とうごく》した。

「はた迷惑な」

ザイラスの悪態を、マリアンヌは聞き流した。

「渓谷の街《ケイティング》でお会いしたのは偶然《ぐうぜん》ですが、いい機会でした。あなたには、グレイス伯爵を捕らえていただきたかったのですが、まさかあんなことになるなんて……」

「リナレーアを巻《ま》き込《こ》んでおいて、計画通りにいくって考える方が馬鹿なんだ」

ザイラスは言った。

いつだってそうだ。彼女はこちらの思い通りになんていかない。

投げたらどこに跳《は》ねるかわからないし、自由で、純粋《じゅんすい》で、向こう見ずで、頑固《がんこ》で、そして、凶暴《きょうぼう》なくらい愛らしい。

「旦那様《だんなさま》」

それまで黙《だま》っていたマーティンが、突然《とつぜん》口を開いた。

見れば、彼女は意味ありげに窓の方を視線で示してくる。ザイラスはすぐに察して窓から距離《きょり》をとった。

「そこから離《はな》れた方がいいぞ」

一応マリアンヌにも警告する。マーティンはてきぱきとガラス窓を開け放ち、そしてザイラスと同じようにそこから離れた。

ほどなくして、開け放たれた窓から灰色の影《かげ》が飛び込んできて、同時にガッとなにやら痛そうな音を発した。

「いったあああああ！」

叫《さけ》んだのは女の声である。

「痛い！　今窓枠《まどわく》で頭打った！　超《ちょう》痛い！　禿《は》げた！　いったあ！　もっと低く飛びなさいよこの馬鹿犬！」

《犬ジャネエッツッテンダロ！》

《頭ヒッコメナカッタオ前ガ悪《ワリ》インダロ、ケケッ》

《自業自得《ジゴウジトク》ダ》

「うるさいですよ、あなた達」

突然窓から飛び込んできてぎゃあぎゃあと騒《さわ》ぐ魔物達を、マーティンが静かに一喝《いっかつ》した。

「窓から入るなって何度言ったらわかるんですか？　ディンヴィリヴェーラ」

《……スマナイ、マーティン》

《怒《オコ》ルナヨ、ケケッ……》

《悪カッタ》

三つ頭の灰豹がしゅんとする。彼らは、主人であるはずのザイラスよりも、この怪力《かいりき》で俊敏《しゅんびん》で男なんだか女なんだかわからない魔物の方が恐《おそ》ろしいらしい。

ディンヴィリヴェーラの背中から下りたレベッカは、額にできた赤いたんこぶを撫《な》でながら、なおもぶつぶつと文句を垂《た》れている。

「報告しろ」

ザイラスは短く命じた。

「ああそうだ！　リナレーア様ですけどね、どうも一度モーム男爵《だんしゃく》の家に行ったみたいですよ」

ザイラスは、ここでその名前が出たことを心底意外に思った。

「モーム男爵だと？」

《タダソッカラマタ移動シテタ》

《俺タチジャナカッタラ辿《タド》レナカッタゼ。ケケッ》
《感謝シロヨ、ザイラス》
「いいから早く報告しなさい」
マーティンがぴしゃりと言った。
「リナレーア様は今王宮みたいです」
レベッカが答える。
「なんだと？」
王宮、ということはヴァルターと一緒にいるということだろうか。あるいは、投獄されているはずの自分に会いに行った？
《途中カラ、スッゲェ臭《ニオ》イニ邪魔サレテ追エナカッタ》
《イヤスッゲェ臭《クサ》カッタゼ。ケケッ》
《王宮ノ中ッテノハ確カダ》
嫌《いや》な予感がした。仮にも、王の住まう宮だ。そうそう異臭《いしゅう》がするはずがない。
「わかった。おい、乗せろ」
彼はディンヴィリヴェーラに跨《また》がった。
馬や馬車で行くよりも、この三つ頭の獣《けもの》に乗って行った方が早い。もはや自分が魔物使いであることを隠す理由はないのだ。脱獄《だつごく》の際に顔を見られているのだから、レイデ伯爵が人間とは思えない動きをする者を従えていることは早晩《そうばん》広まるだろう。

マーティンは、『玄関扉から出てください』などと窘《たしな》めたりはしなかった。

「エイダはマリアンヌと残れ。その女を逃《のが》すなよ。終わったらすべて証言させる。マーティンとレベッカはついてこい」

ザイラスは魔物達に命じた。

「リナレーアの確保が最優先だ」

「かしこまりました」

「はーい！」

《ツタク、女ノケツ追イカケテバッカダナ》

《食ッチマエバ早《ハエ》ェノニナ、ケケッ》

《モット肉ガツイテナイト不味《マズ》イ》

ザイラスが無言のまま顎《あご》で命じると、マーティンが目に見えぬ早業《はやわざ》で灰豹達の頭にかかと落としをした。

《《《ギャッ》》》

三頭が悲鳴を上げる。

「今度くだらねぇこと言ってると俺が直々《じきじき》にその頭落としてやるからな」

ザイラスは冷たく言い捨て、灰豹達を黙らせたのだった。

リナレーアは、兄に手を引かれるまま走っていたので今自分がどこにいるのかまったくわからなかった。どうも、王宮のさらに奥に向かっているような気がする。

彼らは途中通りがかりの騎士《きし》とすれ違《ちが》ったが、ヴァルターはなぜか助けを求めようとしたリナレーアを黙らせた。

それどころか歩みを緩《ゆる》め怪我《けが》をした腕を隠し、「ああ、悪いけど私の部屋の周囲にしばらく近づかない方がいいよ。ちょっと料理に失敗してしまってね。尋常《じんじょう》じゃない異臭がするから」と言って騎士に困った顔をさせた。

リナレーアが視線だけで疑問を投げかけると、ヴァルターは騎士が見えなくなってから答えた。

「魔物に関する基礎《きそ》知識がない人間を近寄らせるのは危険だよ。グレイス伯爵に傷つけられるかもしれないし、モーム男爵だって無事ではすまないかもしれない」

一拍《ぱく》置いて、なるほど兄の言う通りだと納得《なっとく》する。

魔物をよく知らない人間からしてみれば、狼《おおかみ》の姿になったモーム男爵だって危険な存在に見えるだろう。騎士達が、グレイス伯爵だけでなく男爵にまで刃《やいば》を向ける可能性は十分にある。

ヴァルターは重い息を吐いた。

しばらく行ったところでグレイス伯爵が追ってこないことを確認すると、リナレーアは柱の陰《かげ》に兄を引き込み、窓のくぼみに座《すわ》らせた。

窓の向こうには中庭が見える。そこを見て初めて、リナレーアは今自分が王宮のどのあたりにいるのか理解した。

「お兄様、痛いのでしょう？」

ヴァルターの顔からはすっかり血の気が引いている。上着を脱《ぬ》がせると、下に着ていた白いシャツはぐっしょりと血で濡《ぬ》れていた。

リナレーアはくらりとしたが、なんとか気絶せず意識を保った。手首に結んでいたリボンを外し血が出ている箇所《かしょ》の上の部分をぎゅっと結ぶ。ヴァルターは低く呻《うめ》いただけで、痛みに悲鳴を上げたりしなかった。

「……お兄様。お医者様に見ていただいた方がいいわ」

「大丈夫《だいじょうぶ》。リナレーア、このままザイラスのところまで行こう。彼なら助けてくれる」

リナレーアは目を瞬《まばた》かせた。

「彼は牢獄の中でしょう？」

「そう。王宮の奥にある《嘆《なげ》きの塔》の中だ。今はもう誰《だれ》も近づかないから、ここしばらく私が利用させてもらっていた」

リナレーアは、まだ兄が夫を捕らえた理由を聞いていなかった。けれど今それを問いただしている場合ではない。

「わかったわ。場所を教えて」

彼女が兄の手を引いて立たせたその時である。
ド、ガン！
という場を震わせるような轟音《ごうおん》と共に、廊下の向こうの天井《てんじょう》が崩《くず》れた。穴が開いたのだ。瓦礫《がれき》となった天井の石が廊下に積み上がり、その上に二本足の男が立っている。

《ミ、ツケタ……！》

伯爵が獣のような咆哮《ほうこう》を上げた。

リナレーアは咄嗟《とっさ》に兄の手を引き踵を返すと、駆《か》け出《だ》した。

心臓がどきどきとうるさく跳ねている。目に涙《なみだ》が浮かんだ。

(嘘《うそ》でしょう？　伯爵がここにいるということは、モーム様はどうなったの？)

きっと、無事ではない。

彼女は血まみれで倒《たお》れている男爵を想像して悲鳴を上げたくなった。男爵のところへ行かなければ。彼を知らない人間が見つけたって多分誰も手当てはしてくれない。

モーム男爵は魔物だからだ。

普通《ふつう》の人ではない。

「リナ！」

ヴァルターが叫んだのと同時に、リナレーアは突然前に突き飛ばされた。

咄嗟に両手を前についたので顔面の激突《げきとつ》を免《まぬか》れる。振り向いた彼女は愕然《がくぜん》とした。

「うぐあ！」

「お兄様！」

グレイス伯爵の鋭《するど》い爪《つめ》の伸《の》びた手が兄の首を掴《つか》んでいる。二人はそこまで身長差がないはずなのに、ヴァルターの爪先《つまさき》は宙に浮いていた。

「やめて！」

ヴァルターが伯爵の手から逃れようともがいている。伯爵は歓喜に歪《ゆが》んだ口《くち》の端《はし》から泡《あわ》を噴き、正気ではない眼《め》でヴァルターを睨んでいた。

（どうすればいいの？）

自分が飛びかかったって伯爵に敵《かな》うはずがない。もう夜は深い。叫んだって、誰に聞こえるだろう。ザイラスは牢の中だ。

（誰もいないのだわ。わたくしがなんとかしなくては）

リナレーアは震える足で立ち上がった。

（震えないで！）

自らを叱咤《しった》する。

短い呼吸を落ち着かせ、涙を飲み込もうとした。

(もう、『小さなリナ』じゃない)

そう言い続けてきた。守られるだけの存在ではないのだと。できることなら剣を手に、夫の隣に並び立ちたいのだと。

あの言葉は嘘ではない。

紛《まぎ》れもない真実だ。

ずっと冒険家になりたかった。

恐れることなく、未知の世界に立ち向かう。

そんな人間になりたかった。

彼のように。

生命の輝きを黒曜石《こくようせき》の瞳に宿した——ザイラスのように。

その時、不思議なことが起こった。

夫の瞳を頭に浮かべたとたん、ぴたりと震えが止まったのだ。

リナレーアはそっと靴《くつ》を脱いで、それを後ろ手に隠し持った。

「グレイス伯爵!」

何かに押《お》されるようにして叫ぶ。

狂気《きょうき》に支配されたグレイス伯爵の双眸《そうぼう》が緩慢《かんまん》にリナレーアに向けられた。

しかしもう震えは起きない。代わりにリナレーアは微笑んだ。意識して、悠然《ゆうぜん》と。貴族としての矜持《きょうじ》でもって、傲慢《ごうまん》に。

「馬鹿な人ね。すべての原因は兄だとお思い？　兄はわたくしの言いなりよ。マリアンヌもヴァルターもザイラスも、わたくしの言うことには逆らえないの。わたくしは、あなたのような汚《きたな》い人間を心底軽蔑《けいべつ》します。私利私欲のために他者を踏《ふ》み躙《にじ》ることに躊躇《ためら》いを覚えない。ご自分が、どれだけ高貴だと勘違《かんちが》いされていらっしゃるの？　あなたは無知で蒙《もう》昧《まい》で愚《おろ》かなクソ野郎です。残念ですが」

そこまで一気に言い切って、リナレーアは口を閉じた。

場に合わない夜の静謐《せいひつ》がリナレーアと伯爵の間に流れる。

一拍置いて、伯爵が咆哮を上げた。

《リ、ナレー、アあああああああ！》

リナレーアは、今だとばかりに持っていた靴を伯爵に投げつけた。そして極《きわ》め付《つ》きに言い捨てる。

「恨《うら》みの矛先《ほこさき》さえ間違えるなんて、勘違いも甚《はなは》だしいわね。お馬鹿な伯爵」

《つっがあアアあああ！》

彼女は、伯爵が兄を地面に投げつけたのを視界の隅《すみ》に確認してから逃げ出した。

もちろん、闇雲に挑発《ちょうはつ》したわけではない。先ほど兄を座らせた窓のくぼみに足をかけ、ひらりと乗《の》り越《こ》えて中庭に着地する。グレイス伯爵の体格ではリナレーアほど簡単に窓を抜けられないだろう。

薄《うす》い靴下《くつした》越《ご》しにむき出しの下生えを踏みながら、リナレーアは足を止めなかった。

吹き抜けの中庭の天井は星空を切りとった夜空の天幕だ。月は見えず、視界を照らすのは建物から漏《も》れる明かりだけだった。

背後からバキバキと枝の折れる音がする。伯爵が庭の植物をかき分け追ってくる音と息づかいは、もう数センチのところまで迫《せま》っているように感じられた。恐怖で背後を確認したい衝動《しょうどう》にかられるが、ただ前を見て走る。

中庭には散策するための小道があったが、あえてそこを通るのは避《さ》けた。植物が密集したところを逃げた方が伯爵の追跡《ついせき》が遅《おく》れると考えたからだ。小柄《こがら》なのは自分の利点である。小枝で腕や頬《ほお》を引っ掛けたが、リナレーアは気付きもしなかった。

「何者だ！」

「止まれ！」

どこからか人の声がして、リナレーアはしまったと思った。

今の伯爵は普通ではない。ヴァルターの言っていた通り、ただの人間が立ち向かっても怪我をするだけだろう。

リナレーアは中庭の一角に目的の建物を見つけた。その壁《かべ》には細かな細工がされていて、扉が一つある。悩《なや》んでいる暇《ひま》はなかった。彼女は扉に飛びつき、鍵《かぎ》がかかっていなかったことを幸いに中に飛び込んだ。

そして外に向かって叫ぶ。

「伯爵、こっちよ！」

建物の中に明かりはなかったが、ところどころに明かり取りの窓が開いていた。薄暗《うすぐら》く狭《せま》い室内にあるのが壁に沿って造られた階段だけなのだと知ると、リナレーアは気を失いそうになった。

（これを上るの⁉）

しかしもう後戻りはできない。それに、階段の横幅《よこはば》は狭い。伯爵はうまく上ってこられないかもしれない。リナレーアは意を決して階段を駆《か》け上り始めた。

階段の壁と反対側には手すりの代わりに石柱が並んでいる。その隙間《すきま》から下の入り口を見ることができた。リナレーアが階段を上り始めてすぐ、開け放ったままの戸口からグレイス伯爵が入ってきたのを見てリナレーアは安堵《あんど》した。

あとはもうまっすぐ前を向いて走るだけだ。

彼女はスカートの裾《すそ》を摑み、無作法にも脚をむき出しにして一段飛ばしで階段を駆け上った。しかしすぐに息が切れて足が重くなってしまう。

この数月、様々な騒動《そうどう》に遭《あ》ったリナレーアは随分《ずいぶん》と体力がついたと自負していたが、さすがにこの長さの階段を一気に上るだけの持久力は備わっていなかった。それでもなんとか足を止めることなく進めていた彼女は、直後、横から伸びた手に腕を掴まれて石柱に叩きつけられた。

「っあ！」

ボキリ、とどこかが折れたような音が身体《からだ》の内側に響《ひび》く。

驚いたことに、グレイス伯爵は階段の外側にいた。石柱をよじ登ってきたのだ。狂気の男は石柱の間から腕を伸ばして階段を上っていたリナレーアを捕らえた。

《リ、なレーア》

耐《た》えられない臭いの息が、石柱に押し付けられたリナレーアの顔に吹きかけられる。

《毒、婦、メ》

「うあぁ」

石柱と石柱の間は、リナレーアの身体がすんなり通れるような隙間ではない。それなのに伯爵がギリギリともの凄《すご》い力で引っ張るので、あまりの痛みに悲鳴さえ上げられなかった。やがてついに、ボキ、っとひどくあっけない音がしてリナレーアの肩に電流が走ったようになった。

「きゃあああ！」

脱臼《だつきゅう》したのだ。

視界が明滅《めいめつ》する。全身が異常を訴《うった》えている。怖《こわ》い。誰か。

細い身体を奮い立たせていた矜持ががらがらと崩れていくようだった。

しかしそれが完全に壊《こわ》れる前に、またひどく大きな音がしてリナレーアは吹っ飛ばされた。頭を強《したた》かに壁にぶつけて視界が暗転する。

意識を失っていたのは、おそらく数秒のことであった。

目覚めた彼女は、自分が階段の途中に横たわっていること、すぐ横の石柱が数本破壊《はかい》されていること、階段の数段下で二体の獣が絡み合うように争っていることを緩慢に認識《にんしき》した。

《ぐあアアア！》

《があ！》

（モーム、男爵……）

リナレーアは霞《かす》みがかったような意識の中で獣の片方が魔物憑《つ》き男爵であることを理解した。

（無事だったのだわ。よかった……）

そう安堵するが、モーム男爵の美しい毛並みのところどころが赤く汚れていることにすぐ気付く。

(怪我をしている)

その見上げるような体軀《たいく》のいたるところが。

《ぎゃうう!》

グレイス伯爵の爪に傷つき、しかしすぐに牙《きば》で反撃《はんげき》する。劣勢《れっせい》に見えるのは、伯爵の怪我がすぐ赤黒い皮膚《ひふ》に覆《おお》われて治ってしまうからだ。あれが、治癒《ちゆ》の魔具を取り込んだ伯爵の能力なのだろう。そうして赤黒い皮膚に覆われた部分は、伯爵をどんどん人ではないものに変えてしまう。

(行かなくちゃ)

リナレーアはゆっくりと立ち上がった。

左腕は激痛で力を入れることもできない。額に脂汗《あぶらあせ》が浮いた。生理的な涙が出てきたが、それを拭《ぬぐ》うことさえせずに彼女は一歩一歩階段を上った。

今度の激音は、建物の壁が壊れた音だった。

しかしリナレーアはただ前を見て進む。

途中通った窓の外に、彼女は一際《ひときわ》明るい場所を見つけた。

やはり、今夜も王宮では夜会が行われていたのだろう。音楽と酒と会話を嗜《たしな》んでいた貴族達が、突然夜のしじまに響いた不穏《ふおん》な音に集まってきている。ワイングラスを手に、何事が起きているのかと、ざわめいている。

以前感じた漠然《ばくぜん》とした違和感《いわかん》が、リナレーアの胸の内側に広がった。

光と闇。

明と暗。

それがあまりにはっきりと分かれている。

目に映る世界が違いすぎるのだ。同じ生を持って生まれてきたというのに、こんなにも違うように映って見えるなんて。

『魂《たましい》の芯《しん》から違う人間なんだよ』

(どうして今あの言葉を思い出すの？)

生まれが違う。育ちが違う。

けれどそれだけではない。

世界の色が。与《あた》えられた優《やさ》しさが。愛情が。光が。闇が。きっと彼と自分では違いすぎる。

どうしようもなく他人なのだ。水と油のように相容《あいい》れない。

けれどそれでも……。

(好きなの)

湧《わ》き出《で》るように思う。

自分でも不思議だ。この気持ちだけは、きっとこれからもずっと変わらない。

彼のために生きることを選び、彼の手を取り、彼を見てずっと側にいる。

それが自分にできることだ。

彼の両親や祖父の代わりに。

きっと、彼らもできることならそうしたかった。

できることならきっと、彼と共に愛情に溢《あふ》れた家族になりたかったのだ。

リナレーア＝レイデはいつの間にか、最後の段差を終えていた。彼女が立っている場所は外で、四つ足のとんがり屋根がある。中央には大きな鐘《かね》がぶら下がっていた。リナレーアよりも大きい。

王宮の中央に立つ尖塔《せんとう》。

視界には遮《さえぎ》るものが何もない、この国で一番高い場所。

リナレーアは鐘の横を通り過ぎて屋根の足となる柱に手をつき、下を覗き込んだ。

ここからでは、先ほどモーム男爵達が壊した壁がどこかよくわからない。細かな細工の施《ほどこ》されたこの塔の壁は未完成だったと聞くから、職人は泣くだろう。リナレーアの足元にはぐるりと塔を囲むように縄《なわ》が打ち付けられていた。細工を施す職人のためだろうか。

彼女はそれにつまずかないように気をつけて塔の周囲を見た。

眼下には、先ほど窓からちらりと見えた夜会の明かりがあった。

人が集まっているのも見える。騎士達が彼らを囲っている。解散するよう促《うなが》しているのかもしれない。

そうしてもらえるとありがたい。

リナレーアが苦労してここまで上ってきたのは、この高さから落とせば、伯爵も無事ではすまないだろうと考えたからだ。死んでほしいわけではない。ただちょっと、動きを止められればいいのだ。ザイラスを呼んでくるまでの間、治癒の魔具が追いつけないくらいの怪我をしてくれれば。

もし、万が一それで伯爵が死んでしまっても、その責任は負う。

彼女はそれだけの覚悟《かくご》をしていた。

大切なものは決まっている。誰かの死を背負うのは簡単なことではないだろうが、それで大切なものが守れるのなら、躊躇う理由はなかった。

少しの間、驚くほどの静寂《せいじゃく》がリナレーアの周囲を漂《ただよ》っていた。

空には満天の星が浮かんでいる。できれば夫とこれを見たいと彼女は思った。それは、ザイラスの瞳のようにきらきらと輝いている。

思えば、せっかくの休日《バカンス》もほとんどゆっくりと過ごせなかった。もっとのんびりとさせてあげたかったのに。軽食と茶を持って、夜のピクニックに出かけたかった。葡萄《ぶどう》畑の中で横たわり、降るような星をずっと数えていたかった。

二人で。

またいつか、できる時がくるのだろうか。

「ザイラス……」

リナレーアは小さな声で夫の名を呼んだ。

自分の口から漏れたその名さえも、宝物のように愛《いと》しい。

(わたくしの)

大切な人。たった一人の人。彼はこの身体の半分で、世界のすべてだ。こんな恋は、きっともう二度とないだろう。

内側から溢れる感情に押されて、リナレーアの目尻《めじり》から透明の雫《しずく》が溢れる。

しかしその時は唐突《とうとつ》にやってきた。

《リ、ナあああ！》

階段から躍《おど》り出《で》た伯爵が、リナレーアに飛びかかる。

空を見上げて気を抜いていたリナレーアは、伯爵の爪に背中を引《ひ》き裂《さ》かれ、足が空を踏んだ。しかしなんとか身体をひねり、ほとんど本能的に摑まるものを探して塔を囲っていた縄を摑んだ。

全身が塔の壁に打ち付けられる。縄を摑んでいる右腕以上に、脱臼して骨が折れているであろう左腕が激痛を訴えた。背中も燃えるようだ。どっくんどっくんと心臓が喉元《のどもと》までせり上がってきている。

リナレーアは唇を噛《か》んだ。

（もう落ちるのはごめんだわ）

この数月で、一生分の落下体験はした。十分だ。これ以上は望みすぎというもの。別のことで冒険は楽しみたい。

彼女は宙に浮いた足を動かして足場となりうる場所を探した。これだけ細かく装飾《そうしょく》を施された壁なのだ。足が引っかかるようなくぼみならいくらでもあるはず。

そしてリナレーアはすぐにそれを見つけた。

指がかろうじて入るくらいの凹《へこ》みに足を引っかけ、なんとか上に上がれないかと力を込める。しかし片腕では無理だと絶望的に理解した。せめて左腕が使えれば、と思うが激痛で指を動かすことさえできない。

その上右手に汗《あせ》がじわりと滲《にじ》んできていた。

滑《すべ》ってしまいそうだ。縄を手放したら終わり。

（どうすればいいの）

離すわけにはいかない。

いくらなんでも、リナレーアの身体ではここから落ちれば死は免れない。

死ぬわけにはいかないのだ。

（彼の側で生きると決めたんだもの）

全身が痛みを訴えていて、もはやどこが痛いのかもわからない。けれど彼女の中に、諦《てい》念《ねん》だけは生まれなかった。

(どこかに、壁が壊れているところがあるはず)

うまくそこに入ることはできないだろうか。

彼女はそれを探そうと下を見た。しかしそれがよくなかった。体勢を変えたせいで壁の凹みに入れていた足先を滑らせてしまったのだ。突然の負荷《ふか》に耐えられなかった右手が滑り、縄から離れる。それでも彼女はどこかを掴もうと爪を立てたが、爪が剥《は》がれ新たな怪我を増やしただけだった。

しかしこの時のリナレーアが、いつものあの落下感覚を味わうことはなかった。

全身に細い糸のようなものが絡み付いて、自分を空中に留《とど》めている。そう気付いた彼女は顔を上げて驚いた。

「……レベッカ」

「奥様！　お転婆《てんば》がすぎますよ！」

金髪の快活な使用人は、その自由自在な髪の毛でもってリナレーアを救ったのだ。レベッカの横から女姿のマーティンが顔を出し、こちらに向かって手を伸ばす。

「リナレーア様！　お手を！」

しかしもうリナレーアの腕はぴくりとも動かなかった。彼女の異変を感じ取ったマーテインが、レベッカの髪の毛を乱暴に引っ張ってリナレーアを引き上げる。

「痛い！　痛いよマーティン！」

レベッカが悲鳴を上げたが、マーティンは無視した。

引き上げたリナレーアからレベッカの髪の毛を乱暴に引きちぎり、怪我の具合を確認して眉を寄せる。

「なんて無茶を」

「……」

リナレーアはマーティンを安心させるような言葉を吐くこともできずに視線を巡《めぐ》らせた。

ここにはグレイス伯爵がいたはず。彼はどうしたのだろう。そう思ったのだ。そしてすぐに、その答えを見つけた。

グレイス伯爵は、鐘の下に横たわっていた。

モーム男爵がどんなに爪を立てて牙を食い込ませても倒れなかった恐るべき半魔は、まるで木偶《でく》のように伸びていた。そしてその側に、一人の男が立っている。

リナレーアは、静かな風のようなものが自らの内側に広がるのを感じた。

ぴんと伸びた背筋。

短い灰色の髪。伏《ふ》せられた睫毛《まつげ》の下の瞳は宝石のような光を帯びている。

右の拳《こぶし》から赤い血が滴《したた》っていた。

信じられない。

彼がグレイス伯爵を昏倒《こんとう》させたのだ。

あの拳一つで。

リナレーアは笑った。

（やっぱり、わたくしの夫も魔物なのだわ）

でなければ、彼にだけ何度も心を奪《うば》われてしまうことの説明がつかない。

他の誰を見てもこんなふうにはならないのに。

リナレーアは声にならない声で夫の名を呼んだ。

もう全身のどこにも力が入らない。何かが麻痺《まひ》してしまったかのように、痛みも遠かった。

（ザイラス）

もう一度語りかけると、ようやく夫がこちらを見る。

妻を見た彼は一瞬、眉を寄せた。

（こちらへ来て）

そう懇願《こんがん》すると、彼は重い足取りでこちらへやってきた。そして、リナレーアの前に膝をつく。あとはお願いするまでもなかった。

ザイラスは壊れ物を抱《だ》くようにそっとリナレーアを抱きしめた。

その肩が震えている。
リナレーアは彼の頭を撫でてやりたかった。
(ごめんね)
でもできないので、薄れゆく意識の中で強く想《おも》った。
(でも大丈夫よ。これからはわたくしがずっと、あなたの側にいるから)

5.

その後リナレーア＝レイデはすぐに医師の治療《ちりょう》を受けたものの、高熱を出し四日間意識が戻《もど》らなかった。五日目に目覚めた彼女《かのじょ》は、ぼんやりと自分が花畑の中にいるのかと思った。

甘《あま》い花の香《かお》りがする。けれどその事実を確かめる前に、目の前に突然《とつぜん》姉二人と母が現れたので花畑のことは忘れた。

「リナ！」

「ああよかった！　この子はもう心配をかけて！」

「リナレーア。お母様がわかる？」

（ディートリンデお姉様……。お母様。フィーネお姉様まで）

母とディートリンデはエンブリーの領地にいるはずだし、結婚《けっこん》して家を出たフィーネは子育てに翻弄《ほんろう》されているはず。

リナレーアは一瞬《いっしゅん》、これは夢だろうかと思った。

幼い頃《ころ》、魔剣《まけん》に襲《おそ》われた時の夢だ。あの時もこうして姉達《たち》に泣きつかれた。もうあんな危ないことをしないでくれと。

視線を巡《めぐ》らせようとしたが、動かない。まるで錆《さ》び付《つ》いた機械にでもなってしまったようだ。リナレーアは涙《なみだ》を浮《う》かべる姉達に何か答えようとしたが、言葉は声にならなかった。とにかく口の中が乾《かわ》いていて張り付いたようになっている。

「大丈夫《だいじょうぶ》？　ここは王宮の一室よ。ヘンリックが貸してくれたの」

「リナレーア。私が見える？」

「ディー、フィーネ。そう詰《つ》め寄《よ》るな。リナが混乱している」

久しぶりに聞く低く重い声であった。

リナレーアは声の主《ぬし》を捜《さが》して頭を起こそうとしてすぐ、全身に走った痛みに声を上げた。

「ああ、駄目《だめ》よリナ。動かないで。あなたぼろぼろなのよ」

ディートリンデに押《お》しとどめられる。リナレーアを二十歳《はたち》ほど歳《とし》をとらせたような容貌《ようぼう》の母イザベル＝エンブリーは、こらえきれない涙を隠《かく》すようにリナレーアの側から離《はな》れた。

「あなた……よかった」

母のその言葉で確信する。

（お父様）

少しして、視界の中に懐《なつ》かしい父が現れた。

ごつごつとした骨格の頑健《がんけん》なエンブリー公爵《こうしやく》は笑っても泣いてもいなかった。いつものように眉間《みけん》に渓谷《けいこく》のような深い皺《しわ》を寄せ、不愉快《ふゆかい》そうに目を細めている。しかしリナレーアは、歓喜《かんき》や哀楽《あいらく》の表情に乏《とぼ》しい父の感情の揺《ゆ》れを、正確に捉《とら》えることができた。

「ごめんなさい、おとうさま」

押すようにして出した声は擦《かす》れている。父の眉間の皺が一層深くなった。

随分《ずいぶん》と心配をかけたらしい。

(お父様が泣きそうなお顔をされるなんて)

リナレーアは父の手を握《にぎ》りたかったが、腕《うで》に力が入らなかった。

まだ全身が気だるい。血流の中に小さな重りでも入《はい》り込《こ》んでしまったかのようだ。目を瞑《つぶ》って息を吐《は》いたリナレーアの状況《じょうきょう》を、最初に察したのは次姉《じし》のフィーネであった。

「まだリナは疲《つか》れているのよ。そっとしておいてあげましょう」

その言葉に甘えて目を瞑ると、リナレーアの意識はすぐに深い水の中に落ちていった。

次に彼女が目を覚ましたのは、翌日の夕方であった。その時も本調子とは言えなかったが、さらに一晩眠《ねむ》ると身体《からだ》を取《と》り替《か》えたように調子がよくなった。

その日のリナレーアは、母や姉達の手を借りて身体を起こせるほど回復していた。

彼女はまず、自分が包帯だらけなのに驚《おどろ》いた。

上半身と左腕、右手の指先、両の足。包帯のない場所を探す方が大変なようだ。リナレーアはフィーネが作ってくれたスープを、母のイザベルに食べさせてもらった。

「赤ちゃんに戻ったみたいね」

リナレーアが笑うと、イザベルが厳しい顔を作って言う。

「赤ちゃんはこんなひどい怪我《けが》はしません」

母のこの台詞《せりふ》に、二人の姉は大きく頷《うなず》いて同意を示した。

確かに、ひどい怪我だと言えた。指の爪《つめ》はいくつか剝《は》げているようだし、左腕は脱臼《だっきゅう》と骨折。幸いだったのは、背中の傷がそこまで深くないことだった。傷痕《きずあと》は残るだろうが、生活に支障が出るようなものではないらしい。

医師は、日に二回リナレーアの様子を見に来てくれる。彼女の病室となった室内には、ところ狭《せま》しと花が飾《かざ》られていた。部屋の隅《すみ》では気分の安らぐ香《こう》が焚《た》かれている。

匙《さじ》を持っていた母の手がぷるぷると震《ふる》え、その双眸《そうぼう》にみるみる涙が溜《た》まってきた。

「もう……リナレーア。あなたは女の子なのよ。こんな怪我……。ひどいわ」

「お母様……いた！」

ついに匙を投げて両手で顔を覆《おお》ってしまった母を慰《なぐさ》めようとしたリナレーアは、走った痛みに声を上げた。

「リナ！」

「お母様、こちらへ行きましょう」

「ええ、ええ。ごめんなさいね、リナ」

涙が止まらないイザベルを、ディートリンデが部屋から連れ出す。痛みに脂汗《あぶらあせ》を浮かべるリナレーアの背中に手を当てて、フィーネがまた寝台《しんだい》に横たわらせてくれた。鈍痛《どんつう》がまだ残っているが、我慢《がまん》できないほどではない。

リナレーアは息を吐いた。

これではしばらく寝台を出ることも叶《かな》わないだろう。

「……」

リナレーアは、傍《かたわ》らの椅子《いす》に腰掛《こしか》けたフィーネがじっとこちらを見ていることに気付いて肩身《かたみ》を狭くした。

ディートリンデのような華《はな》やかさもリナレーアのような愛らしさもないフィーネであるが、真面目《まじめ》で堅実《けんじつ》なところは父であるエンブリー公爵そっくりだった。その小柄《こがら》な身体からは想像できないような意志の強さと厳しさを持っていて、父でさえどこかフィーネを頼《たよ》りにしているようなところがあった。

「……ごめんなさい」

謝罪を口にすると、フィーネがため息をついた。

「目を覚ましてからあなたは謝《あやま》るばかりね、リナ」

言われてみれば、そうかもしれない。けれど謝罪以外に言う言葉が見つからないのだ。

自分は随分と無茶をしたし、そのせいで家族の負った心労は相当なものだっただろう。

しゅんと目を伏《ふ》せたリナレーアの頬《ほお》にかかった髪《かみ》を、フィーネが優《やさ》しく避《よ》けて言った。

「何か聞きたいことがあるのではないの？」

リナレーアは小さく息を吸った。

確かに、聞きたいことなら山ほどある。

ヴァルターはどうなったのか、モーム男爵《だんしやく》は？　グレイス伯爵《はくしやく》は捕《つか》まったのだろうか。

それに。

（……ザイラスはどこにいるの？）

リナレーアはすべて覚えていた。

ヴァルターと共にグレイス伯爵から逃《に》げて、あの尖塔《せんとう》で何が起きたのかを。

あの時確かにザイラスはいた。

彼《かれ》と彼の魔物《まもの》達が、リナレーアを助けてくれたのだ。

それなのに、誰《だれ》もそのことを口にしない。だからリナレーアは問うことができなかった。

「私達《わたしたち》全員で領地を留守にするわけにもいかないでしょう？　だからアロイスお兄様だけ残ったのよ」

リナレーアは顔を上げて瞬《まばた》きをした。

そういえば、アロイスの顔だけ一度も見ていない。領地に残っていたからなのだ、と今さらながらに納得《なっとく》した。

フィーネはにっこりと笑った。

「それはもう、不満を訴《うった》えておいでだったわ。リナレーアの危機に自分が駆《か》けつけないで誰が駆けつけるのかとお父様に息巻いたの。お父様によ？　最後には諦《あきら》めてらしたけれどね。あそこに手紙が置いてあるわ。あなたが目覚めない間も毎日届いてた。暇《ひま》なのかしらね。後で代筆してあげるから、返事を書いてあげてくれる？　紙がもったいないわ」

フィーネが示した部屋の隅の棚《たな》の上には、なるほど手紙が山と置いてあるようだった。

リナレーアは笑った。

「ヴァルターは」

リナレーアには、フィーネがわざとアロイスの話を先にしたのだとわかっていた。少しでも妹の気持ちを軽くするために。

「あの子は……」

しかしフィーネが次兄《じけい》の話を始める前に、部屋の扉《とびら》が開かれた。

現れたのは、戸口を塞《ふさ》ぐほどの体格を持つエンブリー公爵であった。

「ヴァルターの一部の罪は免除《めんじょ》される」

姉妹《しまい》の会話が聞こえていたのだろう。公爵はフィーネの言葉を引《ひ》き継《つ》ぐように重々しく言った。フィーネが立ち上がる。

「陛下《へいか》が嘆願《たんがん》を聞き入れてくださった。少なくとも、身体刑《けい》は免《まぬか》れるだろう」

「お父様」

父のその言葉で、彼は息子《むすこ》の恩赦《おんしゃ》のために娘《むすめ》の病室を不在にしていたのだとリナレーアは理解した。

「フィーネ、外せ」

有無《うむ》を言わさぬ父の命令にフィーネは一度目を細めたが、リナレーアの額にキスをして言われた通り部屋を出ていった。

姉の代わりに父が寝台の横に立つ。

「座《すわ》って、お父様」

リナレーアに言われて初めて、彼は椅子の存在に気付いたように腰掛けた。そしてすぐに言った。

「『魔物解放団』は実質解体された。陛下が不在の間に委譲《いじょう》された権限で、ヴァルターがすべての施設《しせつ》を摘発《てきはつ》し、研究資料を焼却《しょうきゃく》したんだ。もっとも、残っていたのは残骸《ざんがい》のようなものだったようだがな。団の創設には、バルノート＝レイデ前伯爵が関わっていたこともうわかっている。『魔物解放団』の実態は、過去にわたって調査されるだろう」

「お兄様のお怪我はどうなのですか？」

リナレーアは、ヴァルターについて最も確かめたかったことを聞いた。

するとエンブリー公爵は困ったような顔をした。もっとも、他人には公爵が相変わらず不満そうに眉間に皺を寄せているようにしか見えなかっただろう。

「お前よりよほど軽傷だ。お前の容態を聞いて、自分が死にそうな顔をしていたがな」

「お会いできますか？」

リナレーアは懇願《こんがん》した。

「リナ」

林檎《りんご》を握《にぎ》り潰《つぶ》せるような公爵の手が、優しく娘の頬を撫《な》でる。ごつごつとした父の手は、決して滑《なめ》らかではなかったがただ温かかった。険峻《けんしゅん》な山のようだった公爵の眉間の皺が、わずかに緩《ゆる》やかになる。

「すまなかった」

リナレーアは、どうして父が謝罪を口にするのかわからなかった。

「ヴァルターからすべて聞いた。お前達が十二年前、どんな目に遭《あ》ったのかを。私達は……私は気付くべきだった。お前達の変化に。本当にすまない」

「そんな、お父様」

リナレーアは慌《あわ》てた。

「もとはと言えば、わたくしがお転婆《てんば》をしたせいです。一人で町へ行ったりしたから」

「それはもちろんその通りだ」

公爵の眉間の渓谷は一瞬にして復活した。

「魔物に頭の中を食われずとも、お前はお転婆が過ぎる。今回のことでイザベルがどれだけ泣いたと思う。私は王都があれの涙に沈《しず》むのではないかと思った」

リナレーアは母の涙で洪水《こうずい》が起こるところを想像して少し笑いそうになってしまったが、かろうじてこらえることができた。代わりにいかにも神妙《しんみょう》な顔を作ってうなだれる。

「ごめんなさい、お父様」

公爵は息を吐いた。

「ヴァルターのやったことについては、マリアンヌという女が証言している。どこまで正当性が認められるかで、刑の内容も刑期《けいき》も変わるだろうな」

(マリアンヌ様)

目を覚ましたのだ。それを聞いてリナレーアはほっとした。

「モーム男爵はどうされました？　無事なのでしょう？」

「モーム男爵？」

公爵は眉《まゆ》を上げた。

「ルイマール＝モーム男爵です」

狼男《おおかみおとこ》、と言った方が早いだろうか。

けれどリナレーアは、そういった単語を聞いた父が眉間の皺を深くするところしか想像できなかった。エンブリー公爵は、ずっと娘の妄想癖《もうそうへき》を憂《うれ》えていたからだ。

「さぁ、知らんな」

リナレーアはがっかりした。誰なら、彼の現状を知っているだろうかと思案する。

「……リナレーア」

しかしその思考はすぐに中断された。父はまっすぐに娘を見つめて、例の重々しい声で言った。

「お前が大怪我を負ったと、私達のところに最初に知らせてきたのは三つ頭のある獣《けもの》に乗った女だった」

リナレーアはどきりとした。

三つ頭のある獣？　そんな存在、リナレーアは一つしか知らない。

「その女は、ザイラス＝レイデ伯爵の代理人だと名乗った。至急王宮へ上がるように私へ助言し、そして正式な離婚《りこん》申し立て書を渡してきた」

リナレーアは一瞬呼吸の仕方を忘れた。

一度息を吸うと同時に目頭《めがしら》が熱くなる。けれどなんとか、涙を零《こぼ》すことだけはこらえた。

ザイラスは。

「彼は」

「行方《ゆくえ》不明だ」

それは半ば、予想していた答えであった。

ザイラスは、最後にリナレーアを優しく抱《だ》きしめた。本当に、世界で一番壊《こわ》れやすい宝物にそうするように抱き寄せたのだ。あの時彼は泣いていただろうか。リナレーアにはわからなかった。

「陛下が捜しておられるようだが、見つからないだろうともおっしゃっていた。使用人も皆《みな》いなくなっている」

当然だ。皆魔物なのだ。ザイラスの魔物。彼が行くところへついていくだけだろう。

リナレーアは、ただそこに自分を加えてもらえなかったことだけが悲しかった。

「彼は……魔物使いだそうだな」

公爵は、その言葉を口にするのも具合が悪そうだった。

「何匹《なんびき》もの魔物を従えていたとか。証言もいくつかある。自分の息子が『魔物解放団』などという団体に関わっていた以上、魔物使いという職業に関して疑問を差《さ》し挟《はさ》むわけではないが……」

リナレーアは、父の眉間の皺が深くなったり緩やかになったりするのを初めて見た。驚いたことに、彼は決めかねているのだ。次に口にする言葉を。

「お前は、その……強要されていたのか？　この結婚を」

リナレーアは一拍《いっぱく》置いて目を丸くした。

父はこう聞いているのだ、お前は、魔物でもって脅《おど》されていたのではないかと。

「まさか、お父様」

彼女はきっぱりと答えた。

「すべてわたくしの意志です」

これだけは、はっきりとさせておかねばならないとリナレーアは思った。

「彼の妻となったのも、彼が魔物使いだとわかった後もそうあり続けたのも、すべてわたくしの意志で、わたくしの望みです。お父様」

そうだ。自分の意志だ。

そう望んだのだ。

彼の側にいたいと。

「わたくしは彼を愛しています」

リナレーアは言った。

口に出してみると、それはこの世界で最も確かな真実のように思えた。

「ザイラスを愛しているの」

するとエンブリー公爵は、一度きゅっと口を真一文字《まいちもんじ》に引き結んでから、「うむ」と頷いて言った。

「わかった。そういうことなら離婚申し立て書は破り捨てておこう」

公爵は椅子から腰を上げると、先ほどフィーネがしたようにリナレーアの額に唇《くちびる》を押し当てた。

「ヴァルターへの面会も陛下にお願いしておく。ただし、お前が普通《ふつう》に歩けるくらい回復してからだ。リナレーア」

エンブリー公爵は、かつて彼が娘に対してよくそうしたように、大きな手で娘の頭をくしゃくしゃと撫でた。

「私はお前の夢を応援《おうえん》してやれなかった。だからそれ以外の願いはなんでも叶えてやると、随分前に決めていたんだ。お前の思うようにしなさい。私達のリナレーア。お前は間違《まちが》っていない」

そう言うと、公爵は彼にしては珍《めずら》しく逃げるように部屋を後にした。入れ替わるようにして室内に戻ってきた母と二人の姉達は、リナレーアが泣いているのを見て公爵が逃げ出した理由を理解した。彼は、娘の涙が他の何より苦手なのだ。

リナレーアは泣きながら、心に決めた。

そしてそのためにしなければいけないことがあった。


リナレーアが歩けるくらいに回復するまで、それからさらに二週間がかかった。

彼女はその日、ずっと病室として使用していた王宮の一室を引《ひ》き払《はら》って王都内のエンブリー公爵家の屋敷《やしき》へ移る予定であった。長兄《ちょうけい》のアロイスはリナレーアが公爵領に戻ってくることを強く希望したが、まだ長旅に耐《た》えられる状態ではないと医師に止められたのだ。次姉のフィーネは息子が熱を出したという連絡《れんらく》を受けて数日前に家に戻ったが、エンブリー公爵夫妻と長姉《ちょうし》ディートリンデはまだ王都に残っていた。

面会するのはリナレーアだけ、という条件のもと、案内の騎士《きし》に連れられたリナレーアは、王宮内の踏《ふ》み入《い》れたことのない区画を歩き、廊下《ろうか》の突《つ》き当《あ》たりの古めかしい扉にまでたどり着いた。

驚くべきことに、そこで待っていたのはヘンリック王その人であった。

「やぁ、小さなリナレーア」

彼はまるで、それまでに起きた事件などなかったかのように朗《ほが》らかに言った。

「ヘンリック様」

彼は包帯を巻いて首から吊《つ》り下《さ》げられた状態のリナレーアの左腕を痛々しそうに見て、彼女を抱きしめた。

「見舞《みま》いに行けなくてすまない、リナ。忙《いそが》しくてな」

「いいえ、ずっとお部屋をお借りしていて申し訳ございませんでした。お見舞いの品もたくさん」

彼自身の言う通り、ヘンリックは同じ王宮の中で療養《りようよう》しているリナレーアの見舞いに一度も現れなかったが、その代わり毎日のように見舞いの品を届けてくれた。彼女が目覚めるまでは花や香油《こうゆ》を。目覚めてからは、菓子《かし》店シュシュリアンの新作や髪飾りなどを。

忙しかったのだ、というヘンリックの言葉は決して言い訳ではない。

リナレーアが伏せってからこっち、彼が自室で睡眠《すいみん》を取れないほど忙殺《ぼうさつ》されていたことを、リナレーアは父に聞いて知っていた。

『魔物解放団』の一斉《いっせい》検挙によって、これまで水面下に隠されていたことが一気に明るみになったからだ。

魔物、魔具、魔物使い。

得体の知れないそれらの存在に戸惑《とまど》いを覚える民衆に応えるように、ヘンリックは、この数週間で魔物に関する法制度を作り上げげそれを制定させた。それは、こうなることを予期していたかのような見事な手腕《しゆわん》であった。

解放団に名を連ねていた貴族達の中でも、夜会に参加するだけで深く関わっていなかった者達には目こぼしが与《あた》えられたが、魔具の開発や売買に関わった者達には新たな法制度に則《のつと》って処罰《しよばつ》が下されることとなった。

「あの……ヘンリック様、ここをどうされたんですか？」

近くで見ると、ヘンリック王の目の下が少し青くなっていることがわかった。まるでどこかにぶつけたようだ。もう大分わからなくなったが、リナレーアの身体にもいくつかそういった青あざができていた。

「実を言うと、ディーに殴《なぐ》られたんだ。お前の姉君は容赦《ようしゃ》がない」

ヘンリックは困ったように笑った。

「まぁ。ディートリンデお姉様が？」

王の顔に痕が残るほど殴りつけたというのだろうか？

「ああ別に、何かを無理《むり》強《じ》いしたわけではないぞ」

ヘンリックは自《みずか》らの名誉《めいよ》のためにすぐそう弁解した。

「歩きながら話そう。おいで、リナ」

騎士が扉を開けると、そこは一本の渡《わた》り廊《ろう》下《か》であった。両側に窓があって、壁《かべ》の装飾《そうしょく》は王宮の他の部分に比べると極端《きょくたん》に少ない。

ヘンリックが歩き出したのでリナレーアはその半歩後ろを追いかけた。騎士が二人、さらに後ろについている。以前にも見たことのある、気配を消すのが上手《じょうず》な騎士だ。

「ディーは、僕が傍観《ぼうかん》していたことに怒《おこ》ったんだ。なぜこんなことになる前に弟を止めなかったのかとね」

リナレーアは王のその言葉で確信した。

「……ヘンリック様は、ご存知《ぞんじ》だったのですね」

兄が、『魔物解放団』の首領であることを。王はリナレーアを見て笑った。

「知っていた」

リナレーアは少し眉を寄せたが、ヘンリックは気にもとめずに続けた。

「目的までは知らなかったがな。あいつが、リナのためにレイデ伯爵から『魔物解放団』を継《つ》いだことは知っていた。まさかお前が、ゲイルに頭の中を食われていたとは」

ゲイル、という名がザイラスの父のものであると、リナレーアは遅《おく》れて気付いた。

「僕《ぼく》はゲイルが魔物だということも知っていた。偶然《ぐうぜん》見てしまったんだ。王宮の女官《にょかん》が壊した花瓶《かびん》を、彼が食べて証拠隠滅《しょうこいんめつ》をしてしまうところをな。驚いたよ。だって普通の人間が、割れた陶器《とうき》を食べられると思うか？」

リナレーアは、男がロレインを食べたところを思い出して、少し速まった心臓を抑《おさ》えなくてはならなかった。

ゲイル＝レイデ。

ザイラスと同じ黒い瞳《ひとみ》を持った男。

「彼は、僕が初めて出会った魔物だった」

ヘンリックは遠くを見て言った。

「もちろん誰にも話さなかった。口止めをされたからな。あれから僕は、魔物という存在に魅了《みりょう》されてできる限りのことを調べた。そして世界中のほとんどの国で、彼らが意思疎《そ》通《つう》のできない畏怖《いふ》や恐怖《きょうふ》の対象として認識《にんしき》されていることに疑問を抱《いだ》いた。ゲイル＝レイデは普通の人間と変わらないように見えたからだ」

ヘンリックの歩調はことさらゆっくりとしていて、まだ渡り廊下の半分もきていない。

「……」

王は珍しく沈黙《ちんもく》した。彼が何か過去を懐かしんでいるふうでもあったので、リナレーアは声をかけなかった。ただ四人分の足音だけが廊下に響《ひび》く。数分にも思えた静寂《せいじゃく》は、おそらくほんの数秒であっただろう。

ヘンリックは唐突《とうとつ》に、リナレーアに明るい笑顔《えがお》を向けた。

「どうしてヴァルターが今回、僕が不在の間に『魔物解放団』を解体させたんだと思う？」

「……」

リナレーアには答えることができなかった。

「お前達の休日《バカンス》に合わせて、僕に視察に出るよう勧《すす》めたのはヴァルターだった。あいつは、僕とお前達がいない間に『魔物解放団』を一気に解体しようと決めていたんだ」

（だから……）

彼女ははっとした。

『あの時点ではまだ、終わっていなかったからね。でももう一段落ついた』

ヴァルターのあの言葉は、そういう意味だったのだ。

たぶん、自分が寝ている間に『魔物解放団』の施設の摘発がすべて終わったのだろう。だからリナレーアにすべてを話した。

兄は、自らの決めたことをやり通したのだ。

ヘンリックが続ける。

「僕にすべてを告白して、解放団を一斉検挙することもできただろう。けれどそれをしなかったのは、僕が『魔物解放団』の研究を利用するであろうことが予想できたからだ。本当に、お前の兄は頭がいいよ。そして僕のことをよく理解している。昔っからな」

リナレーアはわずかに眉を寄せた。王はにっこりと子供のように笑って言う。

「リナ。僕は、魔物と共存する国を作りたいんだ」

予想外のその言葉に、彼女は目を丸くした。

「魔物を他の民《たみ》と同様に扱《あつか》う国だ。国政にも取り入れ、軍隊だって作る。普通の人にはない異能を持つ者達だ。そうすれば、他国の脅威《きょうい》にさらされない国ができる。我《わ》が国は小国だ。石を彫《ほ》ってばかりいてはいつまでも生き残れない。……今回のことは、いいきっかけになった。君達の塔での一幕は多くの人間が目撃《もくげき》した。人々は、魔物という存在から目を逸《そ》らすことができなくなった」

「共存って、でも……人は、今よりもっと魔物を恐《おそ》れるようになってしまったのではないのですか？」

あんなふうにグレイス伯爵が暴れるところを見てしまっては、魔物に対する恐怖が先に生まれるだろう。実際のところグレイス伯爵は魔具を取り込んだ半魔であるが、知らない者には小さな違いであるはずだ。

「それは違うぞ、リナ」

しかしヘンリックは足を止め、きっぱりと言った。

「知らないから、怖《こわ》いんだ」

リナレーアは瞬きをした。

「目にしているのがなんなのか、わからないから恐怖が生まれる。だが触《ふ》れて、考えることができればその恐怖は乗《の》り越《こ》えられるはずなんだ。小さな種では駄目だ。かつて《嘆《なげ》きの塔》に閉《と》じ込《こ》められた王女のように、人は見たくないものに蓋《ふた》をする。『魔物解放団』のような大きな火種を前にして、我が国はようやく魔物という存在を認識せざるをえなくなった。荒療治《あらりょうじ》というやつだな。後はそれを理解する努力を怠《おこた》らなければいい」

その時、リナレーアの中で何かがすとんと落ちたようだった。

ぱっと前が開けたかのように理解する。

「ヘンリック様は、そのために、ずっと黙《だま》って見ていらしたんですね」

機が熟すのを。

『魔物解放団』という秘密結社が魔物の騒動《そうどう》を引き起こし自滅《じめつ》するのを待っていた。魔物使いという鎮火役《ちんか》も用意して。親友であるヴァルターが解放団と共に動いていることを知りながら。

彼はただ待っていたのだ。

自らの望んだ状況がやってくるのを。

気付けば、リナレーアはヘンリックの顔を叩《たた》いていた。

パシッ！　といういい音がしなかったのは、人に暴力を振《ふ》るったことのないリナレーアが、目測を誤って王の顎《あご》を叩いてしまったからだ。王は蚊《か》にでも刺《さ》されたような顔をして、視線だけで背後の騎士達を抑えた。

「あなたはクソ王だわ。ヘンリック様」

リナレーアは出会ってから初めてヘンリック＝ゲーテ＝デーメルを罵倒《ばとう》した。

王はリナレーアの小さな手が当たっただけの顎をさすって、心底楽しそうに笑った。

「お前の可愛《かわい》らしい口からそんな悪態が聞けるとはな、リナレーア」

この時になってようやくリナレーアは、夫や姉の王に対する評価に同調できた。ヘンリック＝ゲーテ＝デーメルは、本当に最低のクソ野郎《やろう》だったのだ。

「もう、ヘンリック様とは絶交です」

リナレーアはきっぱりと言って踵《きびす》を返《かえ》した。

「ついてこないでください。一緒《いっしょ》に歩きたくもありません」

「わかったよ、リナレーア。僕はここで待ってる。ヴァルターは突き当たりの階段を降りて右手の部屋だ。ああ言っておくが、逃がそうなんて考えない方がいい。これは親切で言っているんだぞ」

無視すると、背後からくっくという笑い声が聞こえてきて、リナレーアは腹が立った。なんていう人だろう。

自分の周囲にいる者をすべて利用して、彼は自分の理想を叶えようとしている。

魔物と共存する国。悔《くや》しいのは、その国を見てみたいと思ってしまうことだ。

その手段にさえ目を瞑れば、ヘンリックの思《おも》い描《えが》く国はリナレーアの理想に合致《がっち》した。

その国では、魔物とのパーティーだって毎晩のように開催《かいさい》できるだろう。

リナレーアははっとして足を止め振り向いた。

「ヘンリック様。モーム様はご無事なのですか？」

腕を組んでリナレーアを見送っていた王は、彼女の質問に一度目を丸くして破顔する。

「もちろん無事だ。知らなかったのか。王都の自宅でご息女に軟禁《なんきん》されていると聞いたぞ」

狼男の死体が出たという話は聞かなかったので無事だろうとは思っていたが、実際に確《かく》認《にん》できてリナレーアは安堵《あんど》した。次いで彼女はもう一人気になっていた人物の安否を尋《たず》ねた。

「グレイス伯爵は？」

その名にヘンリックは息を吐く。

「お前に大怪我をさせた男の心配か？　リナレーア」

「ご無事なのですか？」

王は一度舌打ちをしてからリナレーアの質問に答えてくれた。

「生きてはいる」

言い方が気になって、リナレーアは眉を寄せた。

「どういう意味ですか？」

「マリアンヌという女からグレイスが魔具を取り込んだという証言を得ていたが、発見されたグレイスから魔具は見つからなかった。その代わり左脚《ひだりあし》は腐《くさ》り落ち、内臓の一部も損傷していた。もう普通の生活には戻れないだろうな」

リナレーアは小さくはない衝撃《しょうげき》を受けた。どう考えればいいかわからない。自業自得《じごうじとく》だと笑う気にも、同情を寄せる気にもならなかった。

（でも……魔具が見つからなかった、ですって？）

それは、どういう意味だろう。半魔を殺さずに魔具を取り除く方法があったというのだろうか。けれど、いったい誰が？

「……」

考えるまでもないことだった。

思いつくのは、一人しかいない。――彼しか。

リナレーアは一度瞬きをして息を吐き、思考を切り替えることにした。今は彼のことを考えていても仕方がない。ただ目の前にあることに向き合うのだ。

そう思って再び王に背を向ける。

ヘンリックの言った通り、渡り廊下の先には下に降りる階段があった。途中《とちゅう》一度踊《おど》り場《ば》があり、さらに降りた先はまた廊下であった。窓があるので視界は確保できている。

リナレーアは、兄が捕らえられているところを地下のじめじめとした牢屋《ろうや》を想像していたのだが、王宮の使われていない一室のようだったので少しほっとした。

縁取《ふちど》るように百合《ゆり》模様が彫刻《ちょうこく》されている扉の前に、騎士が一人立っている。彼は、リナレーアを見て一度頷き、黙って扉の鍵《かぎ》を開けてくれた。そしてリナレーアにその場を譲《ゆず》り、自分は数歩下がって反対側の壁際《かべぎわ》に立つ。

リナレーアは遠慮《えんりよ》がちに扉を叩いた。

「お兄様……?」

ほどなく、中から返事が聞こえた。

「入っておいで、リナ」

その声は、まるでいつもの兄と変わらない。リナレーアは一度息を吸って扉を開けた。

牢獄《ろうごく》のようでこそなかったが、そこはとても簡素な部屋であった。あまり広くない四角い空間の中には棚が一つ、それにテーブルと椅子が置いてあるだけで窓もない。ただ扉が一つあったので、その向こうに寝台があるのだろうと思われた。

ヴァルターは、伸《の》びた髪を後ろで一つに結んでいる以外は、服装も今までと変わらなかった。

椅子の横に立った彼は、部屋の中に入ったリナレーアを見て少し悲しそうに顔を歪《ゆが》めた。背後で扉が閉まり、鍵のかかる音がする。リナレーアが一歩足を前に出すと、ヴァルターが先に問うた。

「傷は痛むかい？」

彼は、包帯でぐるぐる巻きになったリナレーアの左腕を見ていた。

「……痛み止めを飲んでいるから、それほどでもないわ。お兄様は？」

「私の傷はたいしたことはない」

「あれからずっとここにいるの？」

ヴァルターはわずかに笑った。

「退屈《たいくつ》で仕方がないよ」

「お父様はいらしたのでしょう？」

「ああ。とても怖かった。威圧感《いあつかん》で潰れるかと思った」

「まぁ」

リナレーアが笑うと、ヴァルターは顔を歪めた。

「お兄様？」

彼女は怪訝《けげん》に思って距離《きょり》を縮めようとしたが、それをヴァルターが右手を上げて押し留《とど》める。

「私は最低な兄だ」

彼は言った。

「また君を守れなかった」

リナレーアは、兄がそう言うことを少なからず予想していたので、両手を腰に当てて息を吐いた。

「お兄様」

「本当に、自分にはがっかりだ。失望した」

「お兄様」

「リナレーア」

自分の名を呼ぶ兄の声がぴんと張った弦《つる》を弾《はじ》いた時のように響いたので、リナレーアは口を閉じた。

「君が生まれた時のことを、私はよく覚えている」

リナレーアは、そう語る兄の瞳に苦悩《くのう》が宿っていないことにやっと気付いた。

「君はあまりに無垢《むく》で、そして無防備だった。私達全員が、何に代えても君を守らなくてはならないと思い込むほどに君は純粋《じゆんすい》だった」

リナレーアを産む時、母は難産だったのだという。

なんとか生まれ落ちたリナレーアは最初呼吸をしておらず、あわや死産かと思われたが兄姉《きようだい》達の声かけに答えるかのように盛大《せいだい》な産声《うぶごえ》を上げた。

「可愛い私達のリナレーア。私は君の自立に対して最も寛容《かんよう》な立場を取って君の信頼《しんらい》を得ようとしていたけれど、兄弟の中で最も君を箱庭に縛《しば》りつけようとしていたのは私だった」

ヴァルターはもったいぶった仕草で右手を額に当てると、ひどく嘆くようにして首を振った。

「……まさか君の口から、あんな罵倒が飛び出すとは……」

リナレーアは初め兄がなんのことを言っているかわからなかった。

「無知で蒙昧《もうまい》で愚《おろ》かなクソ野郎だって？　私はあの時ばかりはグレイス卿《きよう》に同情したよ。あんな言い方をされたら、彼が逆上したって不思議はない」

リナレーアは顔を赤くした。

捕まったヴァルターを助けるために、リナレーアがグレイス伯爵を挑発《ちようはつ》した時のことを言っているのだ、と彼女は遅れて理解した。

「お兄様……」

「まぁ、私が君の言いなりだっていうのは嘘《うそ》じゃないけどね。まったく、今回ばかりは思い知らされたよ。君がもう私達の可愛い小さなリナじゃないってことをね」

「だって、仕方がないわ。あの時は」

そう言いながらも、先ほど自分がヘンリックに対してどんな罵倒を投げつけたかを思い出してリナレーアは口ごもった。

すらすらとあんな言葉が飛び出してきたのは、夫の影響《えいきょう》であることは明らかだ。

バツが悪くなったリナレーアを見て、ヴァルターが苦笑《くしょう》した。彼は両腕を広げると、

「抱きしめてもいいかい？　リナレーア」

と改めて聞いた。

リナレーアは答える代わりに兄の腕の中に飛び込んだ。ヴァルターは、妹の左腕には触れないようにしながらそっと抱きしめてくれた。

「ありがとうリナレーア。私を助けようとしてくれて」

その言葉は、砂に水が染《し》み込《こ》むようにしてリナレーアの中に届いた。残った右腕で兄にしがみつく。

「お兄様も、ありがとう。わたくしを助けてくれて。十二年前のあの時、わたくしを背負って逃げてくれて。今までずっと、わたくしを守ってくれて。本当にありがとう」

ヴァルターの十二年間を思うと、リナレーアはたまらなかった。兄は妹のために、その

決して短いとは言えない歳月《さいげつ》を費《つい》やしたのだ。

「お願いだから、早くお嫁《よめ》さんを見つけてね」

「おやおや」

リナレーアの心からの『お願い』に、ヴァルターは眉尻《まゆじり》を下げて身体を離した。

「いきなりそれかい？」

「心配だわ。ヘンリック様にだって恋《こい》する人がいるのに」

「残念だけど、私は罪人なんだよ」

「あら。『魔物解放団』の解体に一役買ったことでお兄様の罪は軽減されると聞いたわ。エンブリーの領地は少し削《けず》られるけど、お兄様は家に帰れるって」

「実家で軟禁なんて、ヘンリックは本当に私が嫌《いや》がることをよくわかってる」

リナレーアは、ヘンリックも同じようなことを言っていたなと思って眉を上げた。

「お兄様は、ヘンリック様の狙《ねら》いがわかっていたの？」

ヴァルターはにっこりと笑った。

「なんのことだい？」

「……」

リナレーアは呆《あき》れた。はぐらかすような兄の答えで、わかってしまったからだ。

ヴァルターとヘンリックは、二人とも了解《りょうかい》していたのだ。互《たが》いの思惑《おもわく》を。心の内を。

その上で、互いを利用した。自分の目的のために。

リナレーアは息を吐いた。

「本当に、お二人はご夫婦《ふうふ》のようね」

するとヴァルターは心底嫌そうな顔で呻《うめ》いたのだった。

「やめてくれ」


二年前にルベット公爵夫人の音楽会が行われた野外音楽堂は、王都の外れの、ルベット公爵家の屋敷の広大な庭に建てられていた。

そこが音楽堂と呼ばれるのは、地面をわざわざすり鉢状《ばちじょう》に掘《ほ》り下《さ》げて中央に円形の石《いし》舞台《ぶたい》を造っているからで、音楽に造詣《ぞうけい》の深い公爵夫人こだわりの造作であった。

エンブリー公爵家同様、ルベット公爵とその家族も普段《ふだん》は自らの領地に暮らしているため、王都のルベット公爵の屋敷は一年の半分以上が主人不在の状態になる。そこでリナレーアは、直接ルベット公爵に手紙で了承《りょうしょう》を得て、この一月《ひとつき》の間ほぼ毎日、その音楽堂を訪《おとず》れていた。

いつも持参するのは芝生《しばふ》の上に敷《し》く敷布《しきふ》と茶器と焼き菓子だ。今日は屋敷の留守を預かる執事《しつじ》が庭で採れた葡萄《ぶどう》を差し入れてくれたので、ありがたくいただくことにした。

石舞台の正面に敷布を敷いて、茶器を広げる。もらった葡萄が入っている籠《かご》をその横に置いて、葡萄を一粒《つぶ》口に入れた。

みずみずしい甘さが口内に広がり、思わず笑《え》みがこぼれる。

リナレーアが大怪我を負ってから、実に二月《ふたつき》が経過していた。

両親もディートリンデも、そしてヴァルターも、エンブリーの公爵領に戻っている。リナレーアだけが、王都の公爵家の屋敷に残っていた。

怪我はすっかりよくなり、時折引きつったような痛みが走るだけになっている。左腕は問題なく動くし、剝がれた爪ももう少しで綺麗《きれい》に生《は》え揃《そろ》うだろう。ディートリンデは最後まで妹の背中に残る傷を気にしていたが、リナレーア自身はそこまで気にしていなかった。

常時目に見えるような場所ではないし、障害が残らなかっただけでも幸運というものだ。

一房《ひとふさ》の半分を綺麗に食べたリナレーアは、その場に横になって石舞台を見た。

ここに来るたびに二年前のことを思い出している。

三度目に、彼に出会った場所。

ザイラスがリナレーアを見つけてくれた場所だ。

(どうして気付かなかったのかしら)

あの時、石舞台の上で歌っていた赤毛の歌姫《うたひめ》はエイダだったのだ。あの時点で既《すで》にエイダはザイラスと契約《けいやく》を交《か》わしていたはずだが、どういう経緯《けいい》で音楽会で歌うことになったのだろう。

（エイダはたまに、歌を口ずさんでいたもの）

何かの機会にたまたまそれを聞きつけたルベット公爵夫人が、無理に頼《たの》み込《こ》んだのかもしれない。

きっと、エイダは固辞しただろう。それでも公爵夫人の懇願を無下に断ることはできずに最後には了承したのだ。

彼女が歌で貴族達を気絶させてしまわないように、マーティンが特訓したのだろうか。レベッカが髪の毛を鞭《むち》のように振るうところを想像してリナレーアは笑った。ディンヴィリヴェーラは貴族のわがままに振り回される仲間を呆れたように見ていたに違いない。

彼女は赤い髪の歌姫のことだけは鮮明《せんめい》に覚えていたが、あの場にザイラスがいたかどうかだけはどうしても思い出せなかった。

リナレーアは目を瞑った。

涼《すず》しい風が頬を撫でる。

実りの秋が宴《うたげ》の音とともにやってくる。金色の季節だ。枯葉《かれは》の香り。

もうすぐ、ルベット公爵と公爵夫人が秋の音楽会のために王都に戻ってくる。主人が帰ってきた屋敷には、こうやって自由に出入りするのも難しくなるだろう。

けれどリナレーアは焦《あせ》っていなかった。

まだたった二月だ。

それに待つのは苦ではなかった。頭の中で、いくらでも想像を巡らせることができるからだ。記憶《きおく》の海だって探索《たんさく》できる。庭は静かで、心地《ここち》よかった。

二年前の音楽会の記憶を辿《たど》っていたリナレーアは、ひらめくようにあることを思い出して飛び起きた。

「そうだわ！　あの時……！」

『ごめんなさい』

『失礼』

自分は人にぶつかったのだ。舞台に人が上がったから近くで見ようとして周囲をよく確認していなかった。そこに立っていた人にぶつかって、持っていた飲み物をこぼしそうになった。

交わした言葉は互いに短い謝罪だけ。

直後にあの素晴《すば》らしい歌声が耳に入ってきて、そちらに気を取られている間にぶつかった人はどこかへ消えていた。

「あれが……もしかして」

何せ二年前のことだし、聞いた言葉は『失礼』という一言だけだ。けれど考えれば考えるほど、あれがザイラスだったような気がしてきた。背格好《せかっこう》も年齢《ねんれい》も彼と同じくらいだった。ああ、けれど肝心《かんじん》の顔が思い出せない。リナレーアは、この時ばかりは忘れっぽい自分の頭の中をどうにかしてやりたくなった。

彼女は目を瞑ってもう一度夫の声を思い出そうとした。

『失礼』

もしあれが本当に彼だったのなら、ザイラスはどんな顔をしてそう言ったのだろう。彼はリナレーアを見た瞬間《しゅんかん》に顔色を変えたとヴァルターが言っていた。あの黒曜石《こくようせき》の瞳が驚きに見開かれる。彼は名を呼ぼうとしただろうか。リナレーア、と。あの時点で、ザイラスはリナレーアの名を知っていたはずだ。最初に出会った時に名乗ったのだから。

十二年前に。

「リナレーア」

その瞬間、彼女は息が止まるかと思った。

一度頭の中が真っ白になる。

けれどその直後、爆発《ばくはつ》したように思考が飛び交った。

幻聴《げんちょう》だろうか。妄想ばかりしていたから、聴覚《ちょうかく》が現実と妄想の区別をなくしてしまった可能性もある。目を開けるべき？　いや、もし誰もいなかったらもの凄《すご》くがっかりしてしまう。まだしばらく目を瞑って、あの待ち望んだ声の余韻《よいん》を楽しんだ方がいいかも。

「リィナ」

耐えきれず目を開けたリナレーアは、目の前に誰もいない石舞台が佇《たたず》んでいるのを見て心から落胆《らくたん》した。不覚にも泣きそうになったほどだ。しかし背後からまた声が聞こえてきて、涙は止まった。

「振り向かないでくれ」

その言葉に逆らったら、彼が搔《か》き消《き》えてしまうような気がしてリナレーアは逆らえなかった。なんとか呼吸の仕方を思い出して、一度大きく息を吸う。

「どうして？」

絞《しぼ》り出《だ》した声は擦れていた。

「聞きに来ただけだ。お前の真意を」

リナレーアは、声の中に何か異変がないだろうかと探した。怪我をしているふうではないだろうか。どこか痛んだり、具合が悪いのを我慢しているふうではない？

「正気の沙汰《さた》とは思えない。毎日毎日こんなところで……」

「レック新聞を読んでくれたのね」

リナレーアは言った。

だから来てくれたのだ。

まだ王都の一室に伏せっていた時、リナレーアは女冒険家《ぼうけんか》フェラン＝ギルドの最後のコラムをしたためた。以前からキリクと約束していたものだ。もう一度だけ書いて、フェラン＝ギルドは最後にすると。

そこに、リナレーアはこう書き記した。

『私の還《かえ》る場所はいつだって赤い歌声が響くあの場所だ。

そしてようやく見つけた大切なものを得るために、私は今日もそこに立つだろう。』

賭《か》けだった。ザイラスはレック新聞を購読《こうどく》していると言っていたが、行方をくらました後も読んでいるとは限らなかった。よしんば読んでくれたとしても、リナレーアのひそませた意図に気付く確証はない。

もちろん、レック新聞には伝言欄《らん》がある。ザイラスに何か伝えたいのなら、コラムにひそませるよりそちらの方が確実だったかもしれない。

けれどリナレーアは、ザイラスに逃げ道を与えたかった。

彼自身の意志で、そう望んでリナレーアの元から消えたのなら、追うわけにはいかないと思っていたからだ。

けれど、彼は来た。

来たのだ。

ここへ。

「リィナ」

もう我慢できなかった。

リナレーアは振り向くと、逃《のが》すまいと大股《おおまた》で地面を蹴《け》って距離を縮め、ザイラスに飛びついた。

「おわ！」

予想外の彼女の行動にザイラスは地面に押《お》し倒《たお》された。身体を起こしたリナレーアは、両手で夫の頬を摑《つか》んで、夢にまで見たその顔をまじまじと観察した。

灰色の髪は少し伸びたようだ。黒い瞳が戸惑いに揺れている。痩《や》せたかもしれない。目の下にはクマがある。お世辞にも健康的だとは言いかねた。けれど今すぐ死ぬという様子でもない。

リナレーアの目にみるみるうちに涙が溜まり、ぼろぼろと雫《しずく》が溢《あふ》れてザイラスの上に落ちた。

「リィナ……」

ザイラスが困り果てたように言う。

リナレーアは夫に馬乗りになったまま身体を起こし、涙をぐいと拭《ふ》いてきっと目を吊り上げると、まずべしりと彼の胸を叩いた。

「わたくしの意志ですって？　そんなのわかりきってるわ」

次いで肩のあたりをまたべしりと叩く。

「わたくしはずっと側にいるって言ったのに。いなくなったのはあなたじゃない」

「リィナ」

ザイラスが肘《ひじ》をついて少し身体を起こしたので、今度は顔に手が届いた。もちろんべしりと叩く。

「痛《いて》ぇ」

「どうしてわたくしを置いていくの。どうして何も言わなかったの。わたくしが――」

ああ、息が苦しい。

「わたくしが、あなたのお母様を見殺しにしたから、怒っているの？」

――ザイラスが姿を消したのは、葛藤《かっとう》を抱《かか》えるのが限界だったからかもしれないとずっと思っていた。自分への愛と怒《いか》りを。

彼が自分を愛してくれていることに疑いはなかったが、その内側に憎悪《ぞうお》を秘めていたのならきっと身が引《ひ》き裂《さ》かれるようであっただろう。それに耐えられなくなったのだとしたら、姿を消したことにも説明がつく。

「……なんだと？」

そう聞き返す夫の言葉に、リナレーアは顔を上げられなかった。

顔を見る勇気なんてない。だってもし、秘密がばれて動揺しているのであったらなんて言えばいい？　その目にわずかでも憎《にく》しみを感じ取ったら？

きっと息なんてできない。

しかし直後、痛いくらいに身体が締め付けられた。抱きしめられているのだと気付くまで、リナレーアは呼吸を忘れた。

「違う」

頭の上でザイラスが短く答える。

「そんなこと、考えたこともねぇ」

「嘘よ」

「嘘じゃない。おふくろが死んだことに、あんたは関係ない。あんたは何も悪くない。……嘘だろ？　そんなふうに思ってたのか？　あんたが悪いわけねぇだろ。悪いのは全部俺《おれ》のクソ親父《おやじ》だ」

「でも……」

「むしろ俺は、すべてを思い出したらあんたが俺のことを怖がると思った」

リナレーアは瞬《まばた》いた。

「どうして？」

ザイラスは呆れたような声を出した。

「あんたを恐ろしい目に遭わせた男の息子だぞ？　怖がって当然だ。それに俺はあんたを殺そうとした」

「あなたに私は殺せないわ」

わかりきったことだ。彼はそこまで非情ではない。非情ではないからこそ、魔物達が従うのだ。

「殺せるよ」

それでもザイラスは言った。

「俺はあんたを殺せる。あんたを逃がさないためなら」

リナレーアは顔を上げようとしたが、ザイラスが一層腕に力を込めたのでできなかった。

「だから、そうなる前に……。なんとか我慢できるうちに、逃がそうとしたんだ」

リナレーアはよくわからなくなった。

「……逃げたのはあなたよ」

「まぁ第三者から見たらそう見えるかもしれねぇが……」

腕の力が弱まった隙《すき》をついて、リナレーアはなんとか夫の腕から抜《ぬ》け出《だ》した。

正面から彼の顔を見てもう一度言う。

「わたくしは、ずっとあなたの側にいるわ。あなたの側で生きる。そう決めたの」

ザイラスは一度顔を強張《こわば》らせた後、泣きそうに顔を歪めて奪《うば》うようにリナレーアの口を塞いだ。そうなると、もう止められなかった。互いに離れていた時間を埋《う》め合うように唇を交わし、その合間に彼は呻くように言った。

「やっぱりあんたは凶悪《きようあく》だ。俺が悩《なや》み抜《ぬ》いて決めたことをこうもあっさり台無しにする。せっかく自由にしてやったのに。どうしてこんなところに戻ってくるんだ……」

リナレーアは答えることができなかった。

久しぶりの触れ合いに息が上がる、顔が熱くなって、涙も忘れた。

「好きよ」

なんとか短くそう伝える。

「愛してる」

何度でも言って、理解してもらわねばならなかった。

この心臓が震えるような感情を。

決意を。覚悟を。願いを――。

「やめてくれ。心臓が止まっちまう」

いつの間にか、リナレーアは芝生の上に押し倒されていた。おや、これはまずいと理性が働いたその時、黒く大きな影《かげ》が彼女の視界を覆いその脚でザイラスの後頭部を踏んだ。

《落チ着ケ》
《人ンチデ盛《サカ》ッテンジャネエ、ケケッ》
《オイ、ソコノ食ッテイイカ?》
「ディンヴィリヴェーラ!」
状況も忘れてリナレーアは顔を輝《かがや》かせた。自分の上の夫を押しのけ、一番近くにある灰《はい》豹《ひょう》の首に抱きつく。
「会いたかった」
《苦シイ、ヤメロ離セ》
《ケケッ》
《食ッテイインダナ?》
「マーティン、こいつらの首を切り落とせるような刃物《はもの》を持ってこい」
ザイラスがゆらりと立ち上がって言った。
「残念ながら持ち合わせがございません」
その声に顔を上げたリナレーアは、すり鉢の途中に立つ白髪《しらが》まじりの執事を見つけて声を上げる。
「マーティン!」
にこにこと穏《おだ》やかに微笑《ほほえ》んだ彼は、ゆっくりと斜面《しゃめん》を降りてきてリナレーアの前に立ち言った。

「奥様《おくさま》。お待たせして申し訳ございませんでした。旦那《だんな》様がうじうじうじうじと悩むのを説得するのに時間がかかりまして」

「おい黙れマーティン」

「レベッカとエイダは？」

リナレーアはきょろきょろと辺りを見回した。

「もちろんいますよー！」

声はすり鉢の向こうから聞こえた。そちらに目を向けると、レベッカが斜面を駆け下りてくる。金髪《きんぱつ》の使用人はその勢いのままリナレーアに抱きついてきたが、近くにいたマーティンが支えてくれたのでリナレーアは倒れずにすんだ。

「レベッカ！」

ぎゅうぎゅうと抱きしめてくる彼女を、リナレーアは歓迎《かんげい》した。

「ああ奥様！　お元気になられたんですね。本当によかった！」

レベッカと抱き合いながら、リナレーアは未《いま》だ斜面の上に佇んでいる赤毛の使用人を見つけた。

「エイダ」

いつも無口で無表情な彼女は、この時も無表情のままリナレーアを見ていた。着ている服は、レベッカもエイダも使用人服ではなく普通のシャツとスカートだ。そういう格好をしていると、赤毛を一つに結んだ少女はただの町娘のように見えた。

レベッカが気付いてリナレーアから離れる。

リナレーアは、一歩一歩斜面を上りようやくエイダの前にたどり着くと、両手を回して抱きしめた。

腕の中で嗚咽《おえつ》が聞こえたので抱きしめる力を強くする。エイダの手が、リナレーアの服をしがみつくように摑んだ。

「奥様……。ご無事でよかった……」

嗚咽の合間に漏《も》れたエイダの小さな声は、リナレーアの胸を熱くするのに十分だった。

「エイダ。ありがとう」

リナレーアとエイダはしばらくの間抱き合っていたが、やがてすんすんと鼻を鳴らしたエイダが身動きを始めたのでリナレーアは身体を離してやった。

《モウ、コレクッテイイカ？》

「待て、と先ほどから言っているでしょう？」

《イテテテ、マーティン。耳ツカムナイテテテテ》

《ケケッ》

「やーもう旦那様が奥様押し倒しちゃった時はどうしようかと思いましたよ！」

「そういう時は空気を読んですみやかに姿を消せ。存在を消せ。もういいからお前は今すぐ消えろ」

「ひどい旦那様！」

賑《にぎ》やかにじゃれ合っている夫と魔物達を見て、リナレーアはひどく満たされた気持ちになった。目と鼻を赤くしながらも無表情に戻ったエイダの手を取って、彼らのところに降りていく。

手の届くところまでリナレーアが戻ってくると、ザイラスは今度は自分の番だとばかりに妻を引き寄せ自らの腕の中に収めた。

「そういえば……グレイス伯爵から魔具を取り除いたのはあなたなの？」

リナレーアはふと思い出して聞いた。

「あ？　ああ。そうだ」

彼は眉を上げて答えると、リナレーアの顎に指先を当てて息を吐いた。

「この期に及んでこの可愛い口から他の男の名前が出てくるとはな」

リナレーアが少し顔を赤くすると、彼は笑った。

「他の男ついでに言っておくが、以前あんたがピアットリー座の地下に誘拐《ゆうかい》された時見たと言った翼《つばさ》を持つ半魔だがな、彼が、アインハウズ先生のご子息だった」

リナレーアは瞬いた。

「……え？」

「俺が見つけた時には既に、翼の魔具は取り除かれていたがな。ヴァルターの命令らしい。奴は、魔剣の本当の使い方に気付いたんだ。あれは、半魔を人間に戻す魔具だった」

「魔剣が？」

破魔具《はまぐ》が、そんな目的で作られたものだったなんて。だからヴァルターは、手に入れた破魔具がリナレーアを救う手段にならなかったと言ったのだ。

「それで、ご子息は？」

リナレーアがザイラスの腕を摑んで問うと、彼はもったいぶらずに答えてくれた。

「俺が最後に見た時はまだ意識が戻っていなかったが、今は渓谷の街《ケイティング》で、アインハウズ先生がつきっきりで看病しているはずだ。先生は、あんたにも礼を言ってくれと言ってたよ」

「そう……そうなの」

リナレーアは溢れてきた涙を隠すように両手で覆った。すると夫が優しく包み込んでくれる。その温《ぬく》もりは、触れているところから流れ込んできて四肢《しし》を満たした。胸が苦しくなるような幸福感に目眩《めまい》がする。

「……さて、これからどうするかだが」

腕の中のリナレーアが泣き止んだのを確認してから、ザイラスが言った。

「リィナ、あんたはどうしたい？」

そう言いながら妻の顔を覗《のぞ》き込《こ》む。まさか自分の意見が求められると思っていなかったリナレーアは涙を拭《ぬぐ》って言った。

「そうね……実はわたくし、ヘンリック様と絶交中なのよ」

リナレーアの告白に、今度目を丸くしたのはザイラスだった。

「え？　王様と？　リナレーア様が？」

レベッカが聞き返すのに、リナレーアはにっこりと微笑む。

「そうなの。顔を叩いちゃって」

《ヤルジャネエカ、ケケッ》

「ヘンリック様はね、すべてわかってらしたのよ。お兄様が『魔物解放団』であることも、解放団を解体しようとしていることも。それで黙って見ていらっしゃったの。ヘンリック様の本当の目的は魔物と共存できる国を作ることなのですって」

王はリナレーアに聞こえのいい言葉を使っていたが、おそらくあの真意は、魔物という存在によって他国をけん制することにあるのだろう。異能を取り込み、外交に利用する。外国に攻め入《せい》ろうとするほどヘンリックが愚かであるとは思えないが、王が代替わりすれば今後そういうこともありうるかもしれない。

魔物と共存する国を作るということは、穏やかな側面ばかりではないのだ。

「ヘンリック様がわざわざそれをわたくしにお話しになったのは、ザイラスを連れ戻してほしいからなのだと思うわ」

困難の多いその道筋に、魔物使いの存在は不可欠だろう。

何せ彼はたった一人でその理想を体現している。魔物を同等に扱い、契約を結び、信頼を得る。

特別な存在だ。彼は異能を排除《はいじょ》しない。

「ヘンリック様はあなたを利用するつもりなのよ。だから今すぐ王都に戻らなくてもいいと思うわ」

リナレーアは夫にそう訴えた。

ヘンリックの元へ戻れば最後、ザイラスはきっと馬車馬のように働かされるだろう。いつか本当に彼のことが必要になる時がくるかもしれないが、それは今ではない。

「……」

ザイラスは目を剝《む》いたまままじまじと腕の中の妻を見た。彼女はにっこりと微笑んだ。

「皆で旅をするというのはどう？　いろいろなところへ行って、いろいろなものを見るの。きっと楽しいわ。ね？」

それはたった今思いついたことであるが、この上ない名案に思えた。

そう、冒険家ルーベン＝ベネディクトだって言っていた。

『**冒険とは、いつでも、どこでも、誰の身にでも起こりうることなのだ。**』

と。

望むのなら、この足を一歩踏み出せばいいのだ。

求めるのなら手を伸ばせばいい。

人はいくらでも変わることができる。変わる意志があるのなら。

気付けば、リナレーアは唇を塞がれていた。

しかし今度ザイラスは口付けを深くすることはなく、すぐに顔を離して妻の頬を撫でるとにやりと笑った。

「皆で、っていうのが気に入らねぇが、悪くねぇ」

リナレーアは嬉《うれ》しくて飛び上がりたくなった。

「本当？　嬉しい。皆で冒険に行くの。ああ、なんて素敵《すてき》なの？」

《モウクッテイイダロ！》

声を上げたのは三つ頭の灰豹だった。

「あ、こら、ディンヴィリヴェーラ！」

マーティンの制止もむなしく、リナレーアが持参した敷布の上の葡萄に灰豹が飛びついた。

「あ！　焼き菓子！」

リナレーアは思い出してそちらに駆け寄ろうとしたが、マーティンが右手を伸ばしてそれを止める。

「焼き菓子というのはこちらのことですよね？　奥様。この通り避難《ひなん》させておきました」

執事が手のひらに収まる大きさの紙包みを持っていたので、リナレーアはほっとした。

「ありがとう」

「焼き菓子だと？」

ザイラスが再び妻を捕獲《ほかく》しようと寄ってくる。手の中で彼女が開いた紙包みには、手作りの四角い焼き菓子が入っていた。幸いなことに、いくつか割れているが大半は無事である。

妻の背後から覗き込むようにしてそれを見たザイラスは、息を呑《の》んだ。

リナレーアはそれに気付かず両手に焼き菓子を持ったまま振り向く。

「毎日、作って持ってきていたの。あなたが来てくれたら食べてもらおうと思って」

それは、十二年前にリナレーアが作ったものと同じだった。

ロレインとザイラスに食べてもらおうと思っていて、結局食べてもらえなかった。

「食べてみて、ザイラス」

「……」

きらきらと輝く妻の瞳に押されるように、ザイラスはそれを一枚手に取り口に入れた。

上手にできているはずだ。毎日同じ焼き菓子を作っていたので、それだけならレシピを見なくても作れるようになっていた。

「……甘《あめ》ぇ」

もぐもぐと口を動かして嚥下《えんげ》した後、ザイラスは言った。

「あの時と同じだ。吐き気がするほど甘ぇ」

リナレーアは目を丸くする。

(あの時と同じ？)

どういうことだろう。

リナレーアが彼に焼き菓子を作ってあげたのは幼い頃のあの一度きりだ。あんな事件があったので、せっかく作って持っていったはずの焼き菓子をどうしたかリナレーアは覚えていなかった。

しかし彼女はその疑問を口にすることができなかった。

夫に強く抱きしめられたからだ。

「ありがとう、リナレーア」

ザイラスが耳元で囁《ささや》くように言う。

「……ありがとう」

そうしなくてはいけない気がして、リナレーアは紙包みから手を離し夫の背に腕を回した。焼き菓子が地面に転がる。けれどそちらを見なかった。不思議と、腕の中にいるのが十一歳の少年であるような感覚に陥《おちい》る。

父と母、二人を同時に失って慟哭《どうこく》する少年は、初めて孤独《こどく》を自覚した。そして誰も信じられなくなった。

(ああけれど)

リナレーアは目に涙を浮かべて思った。

(やっと抱きしめられた……)

人は一人では生きられない。リナレーアはそのことを痛いほどよく知っていた。

だから手を取るのだ。触れて、抱きしめる。

繋《つな》がった先から伝わる温もりが四肢に血を巡らせ、心臓を動かす。炎《ほのお》を灯《とも》す。

「大好きよ」

言葉が水のように染み込む。

それはいつか溢れ、また次の誰かに注がれるのだ。

(いつか)

子供が生まれたら、二人のなれそめを語ろう。

お父様とお母様がこんなに想《おも》い合っているからあなたが生まれたのだと、教えてあげるのだ。

リナレーアは身体を離すと、下から夫の顔を覗き込んだ。そして少し落胆する。

「なんだ。泣いていないのね」

残念なことに、夫の目も鼻も赤くなってはいなかった。子供のようにぐちゃぐちゃに泣いているかと思ったのに。

「泣くか」

ザイラスがそう悪態をつく。

彼は、リナレーアの額に自らの額を触れさせて目を瞑った。魔物達が見ている。けれどもうリナレーアは気にならなかった。くすくすと笑う。

「大好きよ、あなた」

もう一度言うと、彼はこう呻くのだった。

「……俺を殺す気か」

END.

あとがき

こんにちは、はじめまして。
前巻のドロドロエンドからの最終巻アマアマエンドです。
あまりのギャップに戸惑《とまど》いを禁じえません。
こんな二人のお話を、こうして無事終えることができてほっとしております。
本当に本当に、応援《おうえん》してくださった皆様《みなさま》のおかげです。ありがとうございました。
これからもどうぞよろしくお願いいたします。

山咲黒《やまさきくろ》

ありがとうございました！

『レイデ夫妻のなれそめ』お読みくださって有難うご…
！
ってあなた何なさってるの
あー…ずっと離れてたからリナレーア成分補給中…
ぎゅううう～
えっどういうことですのわたくし成分って何ですか
いいからじっとしてろ

こんにちは。アオイ冬子です。

「レイデ夫妻のなれそめ」シリーズ、毎回楽しく絵を描かせていただきました。

1巻の原稿をいただいた時、ザイラスのキャラにすごくおどろいたことを覚えています。強烈!! 反してリナレーアのかわいいこと…毎回かわいいドレスをたくさん描けたのも楽しかったです。

これからも2人と周りの人々が楽しく笑ってすごせますように。

山咲先生、担当様、お世話になりました＆おつかれ様でした。

そして読者の皆様にたくさんのありがとうを…。

■ご意見、ご感想をお寄せください。
《ファンレターの宛先》
〒102-8078 東京都千代田区富士見 1-8-19
株式会社KADOKAWA ビーズログ文庫編集部
山咲 黒 先生・アオイ冬子 先生

ビーズログ文庫

■本書の内容・不良交換についてのお問い合わせ。
エンターブレイン カスタマーサポート
電　話：0570-060-555
（土日祝日を除く 12:00～17:00）
メール：support@ml.enterbrain.co.jp
（書籍名をご明記ください）

◆アンケートはこちら◆
https://ebssl.jp/bslog/bunko/enq/

や-1-23

レイデ夫《ふ》妻《さい》のなれそめ

君《きみ》がもたらした新世界《しんせかい》

山咲《やまさき》 黒《くろ》

2016年9月27日 初刷発行

発行人　三坂泰二
発行　株式会社 KADOKAWA
〒102-8177 東京都千代田区富士見 2-13-3
（ナビダイヤル）0570-060-555
（URL）http://www.kadokawa.co.jp/
デザイン　AFTERGLOW
印刷所　凸版印刷株式会社

ISBN978-4-04-727981-0 C0193

定価はカバーに表示してあります。